Gérard Morisset

LE CAP-SANTÉ

SES ÉGLISES ET SON TRÉSOR

Réédition de l'ouvrage paru en 1944 dans la Collection Champlain aux Éditions Medium,

avec la collaboration de
Christiane Beauregard
Robert Derome,
Laurier Lacroix,
Luc Noppen
et Michel Gaumond,

publiée à l'occasion de l'exposition *Cap-Santé, Comté de Portneuf* présentée au Musée des beaux-arts de Montréal du 20 juin au 18 août 1980.

Table des matières

Liste des prêteurs

— Archives Publiques du Canada

— Château de Ramezay,
Montréal

— Fabrique de Cap-Santé

— M. Jean-Marie T. Du Sault,
Deschambault

— La Collection d'orfèvrerie Henry Birks,
Toronto

— Galerie nationale du Canada

— Henriette et Maurice Grenier,
Cap-Santé

— Les Révérends pères Jésuites,
Québec

— Madame Madeleine Leduc-Brault,
Montréal

— Famille Gérard Morisset,
Québec

— Madame René Morisset,
Québec

— Musée Historial,
Basilique Ste-Anne de Beaupré

— Musée McCord

— Musée du Québec

Remerciements

La préparation de l'exposition *Cap-Santé, Comté de Portneuf* et cette réédition ont bénéficié du concours de plusieurs personnes. Il est impossible de remercier tous ceux ou celles qui y furent impliqués de près ou de loin. J'aimerais signaler la participation du personnel des différentes institutions prêteuses et les centres qui nous ont fourni de l'information: les Archives Publiques du Canada, section de l'iconographie; les Archives nationales du Québec, section cartes et plans et la Collection nationale de photographies; et l'Inventaire des Biens culturels.

Messieurs Jean-Marie T. Du Sault, John R. Porter, Rosaire St-Pierre et Madame Raymonde Gauthier ont contribué par leurs connaissances à nous fournir de nombreuses informations et à vérifier plusieurs questions touchant leurs domaines respectifs de spécialisation.

Je voudrais remercier de façon toute spéciale plusieurs membres du personnel du Musée des beaux-arts: Marilyn Aitken, Rodrigue Bédard, Albert Couturier et l'équipe de la main d'œuvre, Francine Jacques et Marie-Danielle Croteau, Pauline Gravel, Gloria Lesser, Robert McCarroll, Francis Mailloux, Irène Pentsch, Kari Uimonen et Jacques Viens. M. Martin L'Abbé s'est chargé de la réalisation d'un vidéo présenté pendant l'exposition.

Aux collaborateurs qui ont apporté leurs efforts à la réédition du texte de Gérard Morisset toute ma reconnaissance, et principalement Robert Derome qui apporta plusieurs suggestions lors de la relecture de l'ensemble du manuscrit.

Mes remerciements les plus sincères à M. le curé Jacques Pelletier et à la Fabrique de Cap-Santé, à Madame Gérard Morisset pour sa constante collaboration ainsi qu'aux membres de la Société historique de Cap-Santé dont M. Raynald Hardy, président et Mlle Jeannette Trépanier, membre et recherchiste, responsable d'un projet J. Elzébert Garneau.

Le Conseil des Arts du Canada a rendu cette exposition financièrement possible. Qu'il trouve ici l'expression de notre gratitude.

Enfin, des remerciements tout à fait spéciaux à Christiane Beauregard qui fut impliquée dans la préparation de l'exposition dès la première heure et qui a poursuivi sans relâche la recherche pour la présentation de l'exposition.

Laurier Lacroix

Préface

L'exposition *Cap-Santé, Comté de Portneuf*, présentée au Musée des beaux-arts de Montréal du 20 juin au 24 août 1980, s'inscrit dans le cadre d'une série d'expositions estivales commencées en 1978 et portant sur le patrimoine québécois. La publication de l'édition annotée du livre de Gérard Morisset sur Cap-Santé augmente la portée de l'exposition en prolongeant dans le temps cette contribution à la connaissance de notre patrimoine.

En relisant Gérard Morisset, on pourra constater qu'en plus d'être historien de l'art, il était un excellent écrivain. Il aimait écrire et même si son style fleuri nous apparaît un peu désuet, il n'en reste pas moins qu'il savait et sait toujours fasciner ses lecteurs.

Aujourd'hui, Gérard Morisset serait certainement surpris de constater qu'il a, en quelque sorte, fait école d'une double façon. Le public québécois qu'il visait à sensibiliser est maintenant, de façon générale, conscient de la valeur de son héritage culturel et vise à se donner les moyens de le préserver et de le mettre en valeur. Le village de Cap-Santé en est un bon exemple.

D'autre part, il existe maintenant toute une génération de jeunes historiens de l'art québécois compétents qui sont tout aussi passionnés du sujet de leurs recherches que pouvait l'être Gérard Morisset. C'est à quelques-uns d'entre eux que nous devons les annotations de cette réédition, annotations qui marquent le chemin parcouru depuis la première édition de ce livre en 1944.

J'aimerais remercier tous ceux qui ont contribué à cette exposition et cette publication et tout particulièrement Madame Gérard Morisset ainsi que M. Laurier Lacroix, conservateur invité de l'art canadien ancien au Musée des beaux-arts de Montréal.

Jean Trudel
Directeur

Introduction

Le temps semble le seul élément mesurable dans ce double mouvement qui va de la connaissance de l'œuvre d'un auteur à sa reconnaissance publique. Comment peut-on autrement évaluer la disproportion qui s'établit entre le travail de l'historien, du chercheur, du scientifique et l'influence qu'aura son œuvre? La réception critique que lui réservent les générations futures repose sur des notions d'identification du lecteur et de la contemporanéité du message de l'auteur.

Au Québec, nous avons peu le sens de la tradition (faute de maîtres?), il est de bon aloi pour chaque groupe d'âge de vouloir recommencer le travail de leurs prédécesseurs. L'expérience et la connaissance des uns ne pouvant servir à ceux qui, sous prétexte de se fonder sur des assises théoriques nouvelles, d'utiliser des méthodes d'analyse différentes rejettent le travail de leurs pères. Il faudra donc lire cette réédition, non pas uniquement comme un texte scientifique, mais d'abord comme un hommage filial.

Hommage ne signifie pas condescendance et vénération mais plutôt cette confiance, cette reconnaissance et cette célébration du texte de Gérard Morisset qui nous invite à le prendre comme point de départ et de référence pour évaluer et examiner les méthodes courantes et le progrès des connaissances en histoire de l'art ancien du Québec. Les disciples que nous sommes tous devons admettre la dette contractée en se confrontant à l'œuvre du maître. Pourtant, de l'immense bibliographie (350 titres de livres, catalogues d'exposition, articles, des centaines de causeries), des ressources de l'Inventaire des Oeuvres d'art (que de trop nombreux réaménagements sont en train de saccager) que savons-nous vraiment? Quel fragment en avons-nous retiré, historien, collectionneur, amateur, curieux? Chacun dans sa perspective, de son angle particulier examine à la loupe et formule la critique sur le manque d'exactitude de la parcelle qu'il examine: l'absence de la signature, pourtant signalée par Morisset, la mauvaise datation, l'attribution rapide, l'information complétée pour faire coïncider deux documents qui ne concordent pas, l'erreur dans la transcription du document original deviennent l'objet du rejet de toute la production. L'absence de méticulosité et de rigueur de Gérard Morisset (malgré sa formation de notaire) n'aurait-elle d'égale que ses préjugés esthétiques?

Pourtant tous puisent dans les informations de base divulguées par Morisset, tous y retournent comme à une source, certains de pouvoir trouver là les éléments de recherche de n'importe quel sujet. Mais ce n'est qu'une partie du rôle que Morisset a joué dans la constitution de notre histoire de l'art. Ces milliers de fiches signalétiques et de photographies constituent les bases d'une mémoire collective qui ne demande qu'à oublier. On compte par centaines les œuvres que Morisset a documentées à partir des années 1930 et qui sont déjà disparues à cause de notre négligence à percevoir le message fondamental que veulent transmettre toutes ces informations.

L'importance de l'activité de Gérard Morisset provient justement de ce qu'il n'était pas qu'un archiviste, qu'un colligeur d'informations primaires, mais que son propos tenait surtout à rendre la population consciente de la valeur et de la richesse du patrimoine artistique du Canada français. Sa mission était celle d'un protecteur du patrimoine. Certes, son concept de Canada français peut nous apparaître désuet et élastique en ce moment où seul le mot de Québec est sur les lèvres et où le terme Bas-Canada éveille les pires soupçons. Aussi devons-nous être conscients de l'idéologie, de l'urgence du discours nationaliste dans lequel s'inscrivait sa démarche commandée par son amour et sa vénération pour l'art de nos ancêtres. Morisset ne pouvait moins nous rappeler nos racines, puisque de ce passé l'on ne se souvenait pas encore. C'est en inventoriant, en nommant, en disant qu'il a pu identifier des objets qui sont alors devenus des œuvres d'art. Sa facilité à tisser des liens, à recréer de façon épique les traces de notre histoire l'emporte sur la rigueur et l'épaisseur d'interprétation que l'on recherche maintenant dans le tissu historique.

L'ampleur des résultats obtenus, comparé à la faiblesse des moyens physiques dont il disposait, m'invite à le rapprocher aux deux modèles qui furent une inspiration pour l'ensemble de sa carrière: Viollet-le-Duc et Philippe de Chennevières. Documentaliste et architecte du Temps, Morisset s'est appliqué à rédiger cette longue chronique du travail de nos architectes sculpteurs, peintres, orfèvres, ornemanistes et à l'occasion musiciens. Cette chronique, pour la première fois au Québec, s'appuyait sur les documents originaux et misait sur une identification des sources d'inspiration, une valorisation de la qualité du travail artistique et une énonciation des marques de cette continuité qui façonne un peuple. Il a su mettre en valeur les caractéristiques de la production locale, ses excès de chauvinisme et ses partis-pris esthétiques doivent être mis sur le compte de l'enthousiasme de la découverte, sur sa culture visuelle et sur sa formation à l'école française d'histoire de l'art.

Cap-Santé étant son village natal paraissait comme le point de départ naturel d'un réexamen de sa carrière. C'est ce village, dans lequel il passa son enfance, si magnifiquement évoquée dans l'Avant-propos (pp. 5-9) que cette exposition et cette réédition veulent modestement honorer. Comment retracer trois siècles de production artistique, comment rendre compte du labeur, du goût, de la formation des artistes, commanditaires et utilisateurs qui ont constitué ce patrimoine que nous devons préserver et prolonger? C'est à Cap-Santé que Gérard Morisset s'initie au dessin avec Elzébert Garneau (1891-1965), c'est de là qu'il ira au collège de Lévis où il rencontrera l'abbé Jean-Thomas Nadeau, véritable homme orchestre, qui sut l'encourager et lui fournir les moyens de se développer dans ce qu'il aimait vraiment et ce dont il avait reçu les notions dans son milieu familial: l'architecture et le dessin, la musique et l'écriture. L'on connait assez peu le fait qu'il travailla avec l'architecte Tony Garnier à Lyon en 1930, stage qui fut suivi par ses études à l'École du Louvre où il déposa un mémoire sur l'art au Canada français en 1934. Morisset avait tiré profit de sa connaissance des collections privées et publiques, des monographies de paroisses et du travail des archivistes actifs au Québec depuis les dernières décennies du XIXe siècle et a fait une lecture de toutes ces informations qui constituaient la première synthèse de la production artistique dans l'ancienne colonie française. À son retour à Québec, on le vit directeur de l'enseignement du dessin, fondateur et directeur de l'Inventaire des Oeuvres d'art, travail qu'il cumula en 1953 avec celui de conservateur du Musée de la province de Québec. L'on peut imaginer ce que serait devenues les collections du musée provincial si Gérard Morisset, avec sa connaissance des ressources, avait disposé des capitaux nécessaires pour faire les achats qu'il désirait. Ce double poste lui permit de faire rayonner ses connaissances. Il suffit d'examiner sa participation aux expositions canadiennes et internationales portant sur l'art ancien du Canada français.

Sa production, de type encyclopédique, est souvent remise en question mais nous ne sommes pas prêts de lire des textes qui aient autant de souffle, qui essaient de faire une synthèse et d'englober avec autant d'enthousiasme l'art du Québec.

Laurier Lacroix

Liste des sigles, abréviations et notes techniques

AFCS	— Archives de la fabrique de Cap-Santé
ANQ	— Archives nationales du Québec
BRH	— Bulletin des recherches historiques
d.	— diamètre
DBC	— Dictionnaire biographique du Canada
DM	— Délibération des marguilliers, AFCS
H.	— hauteur
IBC	— Inventaire des biens culturels, auparavant, Inventaire des Oeuvres d'art.
L.	— longueur
l.	— largeur
MAC	— Ministère des Affaires culturelles, Québec
MSRC	— Mémoires de la Société royale du Canada
MQ	— Musée du Québec
n.d.	— non daté
RC	— Reddition des comptes, AFCS

* * *

Le texte de l'édition de 1944 est donné intégralement. On trouvera dans la marge deux séries de numéros. Les chiffres en caractère arabe renvoient aux notes reproduites à partir de la page 71 et les chiffres en italique réfèrent aux illustrations, p. 280 et suivantes.

* * *

Les notes sont signées des initiales de leur auteur:

C. B. — Christiane Beauregard
R. D. — Robert Derome
L. L. — Laurier Lacroix
L. N. — Luc Noppen

* * *

Le nombre des illustrations a été sensiblement augmenté par rapport à l'édition originale (de 32 à 141). Pour des raisons de commodité, les illustrations ne suivent pas l'ordre de présentation mais ont été regroupées dans l'ordre suivant: topographie, paysage, architecture domestique et de transport: 4 à 18; architecture religieuse, décor sculpté: 19 à 39; sculpture: 40-54; peinture religieuse, vitrail: 55-67; chevalier Falardeau: 69-70; Elzébert Garneau: 71-78. Les pièces d'orfèvrerie sont illustrées par ordre alphabétique 79 à 101 à l'exception du calice de Sasseville et des pièces de comparaison réunies des n°s 102 à 141.

* * *

Dans la liste des œuvres exposées la hauteur précède la largeur.

* * *

Toutes les citations sont données textuellement à partir des documents originaux.

Gérard Morisset
photo: gracieuseté de Madame Gérard Morisset.

À MA MÈRE

Les voyageurs d'il y a une cinquantaine d'années — de l'époque invraisemblablement reculée où les poteaux de télégraphe et de téléphone, sans posséder le moindrement de grâce, se faisaient pardonner leur désagréable présence par leur toute récente apparition ; où les garages et les postes d'essence ne salissaient pas encore le paysage et n'empoisonnaient pas l'atmosphère ; où l'architecture domestique, bonne fille, gardait de l'originalité et de la retenue —, ces voyageurs, dis-je, revoient, au fond de leur mémoire, de paisibles villages enfouis sous la verdure, pittoresques, accueillants, bâtis d'humbles maisons de bois et de solides habitations de pierre, joyeux dans leur naïf décor de couleurs pures, de lait de chaux et de feuillage.

Dans les pâles aquarelles de George Hériot, de John Grant et de James Duncan, on les retrouve, ces villages, un peu moins masqués par la végétation, mais tout aussi pittoresques. Sur les rives tour à tour plates et abruptes du fleuve, à toutes les deux ou trois lieues, quelques maisons, blotties autour d'un clocher au galbe simple, semblaient autrefois des oasis fleuries au milieu des terres nues ou labourées des environs. Parmi ces villages, on cite, dans les vieilles chroniques, Deschambault-la-Blanche, pacifiquement accroupie face aux sombres falaises du Platon ; la pointe des Becquets, hérissée de la flèche aiguë de son église ; Batiscan-l'Indolente, étalant ses maisonnettes jusque sur la berge ; la Rivière-du-Loup-en-Haut, alors toute resserrée entre les deux bras de sa rivière boueuse ; Varennes, lançant vers le ciel les trois flèches de ses clochers ; Boucherville et la Longue-Pointe, sommeillant face à face dans le clignotement de leurs îles verdoyantes ; Oka, brillant au fond de son lac et le bourg des Cèdres au-dessus de ses rapides . . . Et cette petite France, étendue nonchalamment le long du fleuve, paraissait au touriste étonné comme le paradoxe incroyable d'une civilisation ancienne et très fine qui s'incorporait au sol et créait, en plein Nouveau Monde, une image assez ressemblante de la vieille France.

Le Cap-Santé ne déparait pas la longue théorie de nos sites. On le voit dans la sobre aquarelle qu'a lavée George Hériot, en 1805. La végétation, abondante et désordonnée, cache entièrement les habitations ; seuls émergent des massifs d'arbres les deux grands clochers de l'église — les anciens clochers — et la gracieuse lanterne qui en exhausse le chevet ; au loin, le Saint-Laurent coule comme en une douce matinée de juin, sans brise ; et le paysage se ferme au delà de la mer, sur la masse mystérieuse du Platon et la bande de terre bleutée de la côte de Portneuf.

Si j'interroge mes souvenirs d'enfance et certaines photographics aux tons effacés, des images merveilleuses et riantes affleurent à ma mémoire, qui évoquent d'inoubliables journées de vacances écoulées au bord de l'eau. Je revois une grève magnifique, peuplée de saules tachés de rouille et d'immenses ormes en parasol ; pavée de minces galets visqueux et de tranchantes ardoises en feuilles ; coupée irrégulièrement d'épaisses et longues dalles de calcaire bleuâtre, où s'installent des gamins du village pour jouer, casser la croûte ou dessiner avec un caillou plat. A marée basse, c'est une perspective cahotante de roches rondes et polies qui chevauchent en désordre jusqu'au lit du fleuve, à une dizaine d'arpents de la rive. Quelques heures après le jusant, les saules trempent leurs branches dans l'eau glauque et sale, et les feuilles marient leurs couleurs fanées aux nuances changeantes des vagues. « Parcelle détachée du Paradis terrestre », a écrit un curé qui aimait bien sa paroisse.

Hélas ! ici comme ailleurs, le progrès s'est fait durement sentir. La falaise a volé en éclats pour laisser passer le chemin de fer — le *tortillard*, c'est le cas de le dire ; de vieilles maisons ont fait place à d'insignifiantes habitations carrées, semblables à celles qui se sont élevées çà et là, dans le goût fragile et incertain de notre époque ; et, depuis quelques années, le village est divisé en deux tronçons par une large route d'asphalte . . .

L'église elle aussi a changé. Pas tant dans son aspect que dans son cadre. Autour d'elle, la verdure est moins dense, moins capricieuse ; les peupliers vermoulus de la côte ont péri les uns après les autres sans qu'on ait songé à les remplacer ; et le parvis de l'église, que l'abbé Fillion avait aménagé en 1778 à grand renfort de terres empruntées, constituait une tentation trop forte : on l'a enccmbré d'un vilain mur de pierre de taille, de deux fontaines et d'un haut monument, comme si la qualité essentielle de tout parvis n'était pas la nudité, l'espace libre — à moins qu'on n'ait l'excuse d'avoir voulu protéger les fidèles contre le *norois* qui souffle si impétueusement certains jours . . .

I

SES ÉGLISES

Le Cap-Santé, qui débordait autrefois, et de beaucoup, l'étendue de la baronnie de Portneuf, a commencé d'exister vers le milieu du XVIIe siècle[1].

Partis des environs immédiats du manoir du seigneur Robineau de Bécancour (sis sur les bords de la rivière Portneuf), les colons, à cause de la géographie du fief, se dirigent naturellement vers l'est ; d'abord le long du fleuve, puis dans les terres. Pendant de longues années, des missionnaires récollets leur dispensent les secours de la religion dans

---

1. Comme je ne fais pas ici l'histoire de la paroisse du Cap-Santé, je renvoie le lecteur aux ouvrages des abbés GATIEN et GOSSELIN, publiés à Québec, l'un en 1884, le second en 1899. Il y trouvera les faits relatifs aux premiers établissements coloniaux ; même des faits bien antérieurs, comme l'hivernement de Jacques Cartier à l'embouchure de la rivière Sainte-Croix, en 1535.

une modeste chapelle de bois, que le sieur Robineau a fait construire à ses frais près de son manoir[2]. Bientôt l'on constate que les tenanciers sont beaucoup moins nombreux dans le bassin de la rivière Portneuf qu'à cinq ou six milles en aval, soit dans la partie nord-est de la seigneurie. Si bien qu'en 1709, le missionnaire, l'abbé Charles Rageot-Morin, se transporte avec son maigre bagage au Cap-de-la-Sainte-Famille[3], sur la pointe verdoyante et exposée à tous les vents d'où le regard s'étend de Tilly à Deschambault. Il y a déjà en cet endroit un presbytère, dont la moitié sert provisoirement de chapelle publique. En somme, sous l'invocation de la Sainte Famille, la paroisse est fondée ; cinq ans après, le 3 août 1714, monseigneur de Saint-Vallier, enfin revenu en Nouvelle-France, lui accorde des lettres d'érection canonique ; et l'abbé Rageot-Morin en devient le curé fixe le 20 octobre de la même année.

---

2. Cette chapelle ne se trouvait pas dans l'anse de Portneuf, comme on s'est plu à le dire, mais à une centaine de pieds de la rivière Portneuf.

3. Jusque vers l'année 1724, le Cap-Santé n'était connu que sous le nom de Cap-de-la-Sainte-Famille ; suivant la mode de l'époque, on l'orthographiait ainsi : CAP DE LA SAÑTE FAMILLE ou, simplement, CAP DE LA SAÑTE. Avec le temps, le premier et le dernier mot sont seuls restés.

L'« ÉGLISE DES TROIS-SŒURS »

Ne nous attardons pas à rechercher le site du presbytère-chapelle de 1709. Au reste, c'est une question de peu d'importance puisque, dès 1715, le projet de la construction d'une église en pierre est chose résolue. Le seigneur Robineau, gravement [1] malade, promet de donner cent écus[4] pour l'érection de l'édifice ; monseigneur de Québec, toujours généreux, fait un don de six cents livres « tant en clous qu'en argent », [2] lit-on dans le premier *livre de comptes* ; le curé Morin presse le sieur Louis Motard de céder quelques arpents de terrain pour y construire l'église et, tout probablement, s'occupe d'en tracer les plans généraux et d'en rédiger les devis. Il y a précisément à Québec un architecte du nom de Jean Maillou[5], qui vient de [3] dresser, peut-être à la demande de l'évêque,

---

4. L'écu valait trois livres. La livre canadienne avait la même valeur nominale que la livre française, soit vingt sous. Pour diverses raisons, elle valait seize sous et deux tiers, soit six livres à la piastre. Pour en estimer le pouvoir d'achat, il est bon de savoir qu'un maître-artisan gagnait de quatre à six livres par jour. La livre s'exprime par le signe #.

5. Jean Maillou est mort à Québec en 1753, « âgé de quatre vingt-cinq ans ». L'un de ses fils, Joseph, a exercé l'argenterie.

un plan-type d'église campagnarde[6]. Examinons-le. C'est un bâtiment de pierre sans transept, terminé à l'est par une abside arrondie, pourvu de trois fenêtres cintrées à chaque muraille latérale ; à la façade, un portail d'ordre toscan, surmonté d'une niche minuscule et d'un œil-de-bœuf ; à cheval sur le pignon, un clocher en charpente, à deux lanternes. En dépit de ses maladresses de perspective, le dessin de Jean Maillou exprime les caractères de nos églises du début du XVIIIe siècle. On sait que la plupart ont péri — comme les églises de Lachenaie, des Écureuils, du Sault-au-Récollet, de Saint-Vallier (Bellechasse), de l'Ange-Gardien (Montmorency) —, mais il reste des témoignages suffisamment précis de leur architecture. Seule, la délicate église du Cap-de-la-Madeleine, élevée en 1715, nous donne une idée juste de l'architecture religieuse canadienne de cette époque et, en même temps, du dessin de Maillou (*planche II*).

---

6. Cf. Archives du Séminaire de Québec. Pol. 2, n° 77. — Au revers du dessin, on lit l'inscription suivante : « Ce plan n'est point assez large. Il n'a que 30 pied. Il en faut 36. Le mur doit avoir au moins 2 pieds ½ au dessus du retz de chaussée et réduit à 2 pieds au haut. Quatre rangées de banc de 5 pieds font 20 pieds. Lallée du milieu au moins 4 pi., reste 7 pieds pour les allées des cotés. »

Il n'existe aucune image de la première église du Cap-Santé. Mais on sait qu'elle n'avait pas de transept ; qu'elle contenait vingt-huit bancs, pas un de plus ; qu'elle était orientée vers l'est ; que son clocher ne possédait qu'une lanterne. Conséquemment, il n'est pas tout à fait impossible de s'en faire une représentation vraisemblable. C'est ce que j'ai tenté de faire dans la gravure de la *planche III* ; mais en l'examinant, que le lecteur ne soit pas trop avide de certitude ni de précision.

C'est l'« église des Trois-Sœurs », comme on l'appelait vers 1740, en souvenir des demoiselles Petit de l'Angloiscrie, filles du seigneur de Portneuf, qui en étaient les bienfaitrices[7]. Elle s'élevait un peu au nord de l'église actuelle, tout près du croisillon ; on en pouvait voir les vestiges il y a une quarantaine d'années. Elle avait environ, hors œuvre, soixante-huit pieds de longueur sur une largeur de trente-cinq. Elle était maçonnée en granit des champs, gris et rose, et en pierre d'ardoise

7. Cf. *Les Ursulines de Québec.* Québec, 1864. Vol. II, p. 128. — Il semble que l'abbé Gatien, premier historiographe du Cap-Santé — il écrivait en 1830 — , n'ait pas connu cette appellation d'« église des Trois-Sœurs ».

prise à même la falaise du cap[8]. Elle était couverte en bardeau de cèdre. Pour couronner la flèche, le forgeron du village avait façonné, en fer tendre, une croix dentelée ; et le ferblantier avait martelé un coq en tôle, dont les yeux étaient en verre brillant. A l'extérieur, nul ornement. L'édifice tirait sa beauté de ses proportions, de l'inclinaison aiguë de sa toiture, de l'aspect de ses murailles.

Cette église, on n'en connaît point les constructeurs ; pas plus le maître-maçon que le charpentier, le couvreur en bardeau que le menuisier. En revanche, nombreuses sont les entrées relatives à sa construction. En 1715, dès avant les travaux de maçonnerie, on paie à l'aide-maçon vingt livres « pour une fournée de chaux ». Le 29 juin 1716, l'abbé Hazeur de l'Orme, curé de Champlain, procède à la bénédiction de la pierre angulaire. Les travaux vont ensuite bon train. Voici quelques entrées au premier *Livre de comptes*. En 1716-1718 : « Item pour la façon de la voute, 260# » ; « Item pour l'œil de bouc et

---

8. Cette pierre d'ardoise, d'un beau gris bleuté, friable et clivable à l'excès, se présente sous forme de lits horizontaux dont la hauteur varie de quatre à neuf pouces. On l'employait autrefois pour les manteaux de cheminée et les dalles mortuaires. Cf. *Annuaire de Ville-Marie*. Montréal, 1874. Vol. I, p. 367.

deux fenestres . . . 100#. » En 1718-1719 : « Item pour la façon du pignon de l'église . . . 133#. » Et les entrées se multiplient au gré [1] des dépenses. En 1719, le marguillier en charge paie la façon des bancs ; il acquitte ensuite la facture de l'autel et des balustres. [2] En 1721, on meuble la lanterne du clocher d'une cloche de moins de cent livres. — L'é- [3] glise avait été consacrée le 8 septembre 1718.

RÉPARATIONS INCESSANTES

Il se produit au Cap-Santé le même phénomène qu'en bien des paroisses canadiennes d'autrefois : l'église est à peine terminée qu'elle offre des signes de décrépitude. « Il n'y avait cependant que douze ans que l'église était achevée, note l'abbé Gatien, et déjà elle menaçait ruine, ce qui ne pouvait venir que de l'une de ces deux causes, ou parce qu'on avait employé de mauvais matériaux, ou parce qu'on avait confié l'ouvrage à de mauvais ouvriers, ou bien plutôt encore, et comme la principale raison, parce que le terrain où l'église était placée était très mauvais par lui-même, y ayant beaucoup de sources dans cette place, qui reçoit toutes les eaux de la côte. Peut-être que toutes ces

2

causes réunies coopérèrent au peu de durée des ouvrages . . .[9] » Dès l'année 1729 commencent les réparations, qui se poursuivent avec une certaine lenteur jusqu'en 1732 ; deux ans après, sur l'injonction péremptoire de l'archidiacre de Lotbinière, la fabrique se décide à entreprendre une réfection plus importante ; on en peut suivre les progrès d'une année à l'autre dans les redditions de comptes — et à peu près dans les mêmes termes : « Pour réparations à l'église, en chaux, pierre de taille, maçons, charpente, menuserie, clou, bardeau, planches, ferrures, vitres, pointes, etc. » Même en 1751, à la veille de la reconstruction, les fabriciens font recouvrir la toiture en bardeau et restaurer « le coin du devant de l'église ».

Enfin, l'édifice se tient debout tant bien que mal. Voici maintenant qu'il faut réparer la sacristie. Le 28 avril 1748, au cours d'une assemblée de paroisse, on enjoint au marguillier en charge, en un style savoureux, d'avoir la main haute sur ces travaux : « (Ledit marguillier) fera perfectionner, non seulement corriger, au plutôt, dans le dedans de la sacrystie, de manière que tout y soit propre, convenable, décent orné ; et cela, sur le model

9. *Op. cit.*, p. 87.

de la sacrystie de la Paroisse de St Jean Baptiste de Beller ecureux[10] ; ce, a proportion du volume de cesd. vaisseaux saints, respectivement . . . »

PIÈCES DE MOBILIER

Jusqu'en 1738, l'« église des Trois-Sœurs » ne contient, comme meubles, qu'un méchant petit autel et ses vingt-huit bancs en bois de pin, clos d'une porte. Cette année-là, la fabrique a suffisamment de revenus pour se payer un tabernacle doré ; elle en confie l'exécution à Jean Valin[11], moyennant la somme de cinq cents livres ; le même artisan s'engage, par dessus le marché, à sculpter un chandelier pascal et à panneler un cadre d'autel. Le tabernacle a disparu sans laisser de trace sans doute en 1843, à la pose du tabernacle actuel. Pour se faire une idée de son style, qu'on aille voir, dans l'église basse des Écureuils, l'élégant tabernacle que Jean Valin a sculpté de 1743 à 1747 ; ou encore, le minus-

---

10. Il s'agit ici de la paroisse des Écureuils, dont le patron est saint Jean-Baptiste ; elle était enclavée dans la seigneurie de Bélair.

11. Né en 1691, mort à Québec en 1759. — Dans le *Journal*, on lit à la date du 13 avril 1738 : « Marché fait avec Mtre Vaslin pr. le tabernacle. On luy doit cinq cents livres suiv. le billet qu'il en a. »

cule tabernacle de la sacristie de Stoneham, ou les tabernacles latéraux de Saint-Augustin (Portneuf), qui sont l'œuvre du même sculpteur ; et l'on constatera que Jean Valin, ancien apprenti de Noël Levasseur, est un artisan de bonne lignée. Quant au chandelier pascal, nous le retrouverons plus loin.

Dans le coffre de la fabrique, il reste encore quelques livres en pièces sonnantes et trébuchantes. Le curé Lacoudray en profite pour commander au menuisier Jean-François Godin[12] une crédence destinée au sanctuaire et trois lustres en bois doré et en fil de fer. Il s'occupe des vases sacrés. Depuis 1718, la fabrique possède un petit ciboire que Jacques Pagé dit Quercy[13] a façonné à même les cuillers et fourchettes d'argent que le seigneur Robineau a données à l'abbé Morin[14]. Mais elle n'a pas de calice ; ou plutôt, elle ne possède qu'un pied de calice, sans coupe. Avec les dix livres dix-sept sols que lui apporte l'abbé Lacoudray, Paul Lambert dit Saint-Paul[15]

12. Jean-François Godin était le menuisier du village.

13. Né en 1682, mort à Québec en 1742.

14. Cf. *Op. cit.*, p. 64.

15. Né vers 1691, mort à Québec en 1749. — On retrouve le même orfèvre en 1746 : « Dix huit francs à l'orphèvre pour avoir rétabli les pieds cassés des SS. ciboire et calice de l'église. »

martèle une petite coupe de six livres de façon; et c'est l'orfèvre Michel Cotton[16] qui dore ladite coupe, moyennant la somme de neuf livres dix sols[17].

Au reste, la fabrique est moins pauvre que ne l'indiquent les redditions de comptes. Témoin l'*Inventaire* de 1747[18], dont voici des extraits : « un calice et un ciboire d'argent et une petite boëte dargent pour porter aux malades le St viatique, un Soleil de cuivre doré, un boëtier dargent contenant les trois petites boëtes (aussi dargent) pour les Stes huiles ; le St Chreme lhuile des Cathecumenes et celle des Infirmes . . . Un grand chandelier pour le cierge paschal et un autre médiocre pour le cierge triangulaire[19] ; deux quadres dorés ; dans l'un est l'image de la Ste vierge et dans l'autre celle de St joseph ; un Tableau de la Ste famille ; un petit tableau de l'annonciation et un de St françois de sales . . . »

16. Né à Québec en 1700 ; on ignore la date de son décès.

17. Cf. *Journal* de la fabrique, 1740, pp. 54 et 56.

18. Cf. *Ibid.*, 1747, p. 76. Cet inventaire porte le titre suivant : « Mémoire des ornements, linges &c de la fabrique de la Paroisse de la Sainte Famille Cap Santé Portneuf Baronie de Ste Ursule . . ., présence des Marguilliers de lade paroisse Mr Philippe hardy, Mr Alexis Germain sortant de charge ; Mr Jean Brière, et les Sieurs Morisset Capne et Mr Adrien Picher ancien marguillier. »

19. Ce chandelier, en bois tourné, existe encore ; il ne comporte aucun ornement.

1754 — LA SECONDE ÉGLISE

A la fin de septembre 1752, arrive à la cure du Cap-Santé un homme jeune, plein de courage et d'activité, aussi persévérant qu'audacieux, un tant soit peu frotté d'architecture, l'abbé Joseph Fillion[20]. Au premier coup d'œil, il se rend compte de l'état précaire de l'église et juge qu'il est inutile de réparer de nouveau un édifice mal construit — « ni fait ni à faire », dit le peuple. Aussi bien sa résolution est-elle prise : à côté de l'église croulante de 1716, s'élèvera un vaste édifice en pierre, de trente-cinq pieds de muraille[21], large de quarante-cinq pieds à l'intérieur, épaulé par un haut et spacieux transept, couronné de deux tours à flèches — tout comme l'église de la Sainte-Famille (île d'Orléans) qui, depuis 1743, dresse ses trois clochers vers le ciel. L'église que l'abbé Fillion veut construire sera plus grande encore, plus longue et plus haute. Au lieu de localiser ses sommets à la façade principale, comme à la Sainte-Famille, il y aura

1
2

---

20. Né à Québec en 1726. Il a été ordonné prêtre en 1749.
21. C'est la hauteur du mur du côté nord. Du côté sud, la muraille, à cause de la déclivité du terrain, a plus de quarante pieds de hauteur.

deux grands clochers à l'ouest et, au chevet, une lanterne en pavillon.

Pour réaliser un projet si ambitieux, l'abbé Fillion ne dispose que d'environ trois mille livres. N'importe. Bientôt il se met en campagne ; il quête des écus à droite et à gauche ; il frappe à toutes les portes, même en dehors de la paroisse ; il emprunte des sommes considérables, qu'il ne sait quand il pourra rendre ; il organise des corvées, ouvre une carrière en pleine falaise, érige sur place un chantier ; il se fait « chauleur », porte-oiseau, charpentier. Si bien que dès l'été 1754[22], les travaux sont en pleine activité.

Le tailleur de pierre est un nommé Aide-Créquy, de Neuville, qui appartient à une dynastie de maçons et d'appareilleurs ; le maçon est Maître Renaud qui, le 7 juin 1756, confirme par écrit les conditions de son entreprise et s'engage à maçonner les murailles moyennant la somme de douze livres la toise courante, « devant toiser le vide comme le

---

22. A la suite de l'abbé Gatien, on a toujours écrit que l'église actuelle datait de 1755. Or la reddition de comptes de mars 1753 à août 1754 contient plusieurs entrées relatives à la nouvelle église : « Pour la nourriture des ouvriers en Blé . . . 80# ; pour leur nourriture en Lard, en œuf &c autre chose . . . 300# ; donné à Criqui (le tailleur de pierre) . . . 412#. »

plein, compris les crépits et les enduits » ; le maître-charpentier est un nommé Bélisle, et le couvreur en bardeau répond au nom de Montargis ; quant aux menuisiers, ce sont les Godin père et fils, tenanciers du village ; et les manœuvres, ce sont les habitants eux-mêmes, se relevant de temps à autre afin que n'en puissent souffrir les semences ni les récoltes.

De 1754 à la fin de 1758, les travaux se poursuivent avec entrain. En gages, en matériaux ouvrés et en nourriture, le curé Fillion verse la somme considérable de dix mille cinq cents livres. Mais la guerre vient interrompre momentanément le grand œuvre, car quelques-uns des artisans sont partis aux armées, et l'intendance réquisitionne pour les troupes des outils et des matériaux. On vient d'ériger à la hâte, à deux milles à peine du village, le fort Jacques-Cartier, pour la construction duquel la fabrique a dû fournir une certaine quantité de bois. Et comme pour tout gâter, voilà que les sauterelles s'abattent sur le pays et dévastent les grains, forçant ainsi les paysans à « se nourrir d'avoine lessivée[23] ».

23. Cf. Abbé GATIEN, *Op. cit.*, p. 104.

Quoi qu'en écrive l'abbé Gatien, l'interruption des travaux n'est pas de longue durée ; à peine quelques mois. L'année même du siège de Québec, les menuisiers et le couvreur en bardeau parfont le chevet de l'église — et il ne s'agit pas, dans les comptes de 1759, de paiements différés, puisqu'on dépense cinq cent soixante-quinze livres pour la nourriture des ouvriers. L'année suivante, il n'y a que les menuisiers Godin qui poursuivent leur tâche ; à la fin de 1762, ils en ont fini avec la toiture.

Nous sommes au printemps de 1763. La nouvelle église du Cap-Santé se présente sous un aspect bizarre. Les murailles latérales, les croisillons et le rond-point sont maçonnés, crépis et couverts en bardeau ; le petit clocher de l'abside se profile déjà sur le ciel. Mais à la façade, il y a un grand trou béant : le mur s'arrête au-dessus de la porte centrale et la maçonnerie des tours n'est guère plus avancée. Le curé-bâtisseur ne perd pas courage. De nouveau, il tend la main dans la paroisse et dans les environs, et recueille ainsi quelques milliers de francs. Les travaux peuvent reprendre leur élan. Renaud le maçon, fatigué des retards qu'il subit, abandonne son entreprise ; un nommé Descarreaux, de Neuville, s'engage à la mener à bien[24]. A la fin de novembre, les tours sont terminées, et aussi le pignon de la façade. Au commencement de l'hiver, le curé pousse un soupir de soulagement en écrivant cette entrée : « Payé aux maçons qui ont fini les tours . . . 980#. » Puis le charpentier Bélisle élève les clochers ; le menuisier du village façonne les bancs ; les manœuvres mettent la dernière main aux enduits et aux ravalements. Le gros œuvre est terminé.

UNE GRANDE ÉGLISE CAMPAGNARDE

Donc, au cours de l'année 1767, les aide-maçons et les garçons-charpentiers enlèvent les derniers échafaudages qui masquent encore la nouvelle église. Et les paroissiens émerveillés, les paysans des concessions aussi bien que les villageois, se pressent sur le parvis pour contempler enfin le monument auquel ils travaillent depuis quatorze années. Parmi ces bonnes gens, le plus grand nombre n'ont guère quitté

---

24. On trouve son nom dans le premier *livre de comptes* de Montmagny, à la date de 1769, pour la construction de la nouvelle église.

leur patelin et, ne disposant d'aucun terme de comparaison, admirent leur église avec un candide orgueil. Mais il y en a d'autres, les plus jeunes, qui ont voyagé en Nouvelle-France pendant la dernière guerre ; et sans la moindre complaisance, ils ne se rappellent point avoir vu un édifice aussi grand, aussi majestueux, aussi bien encadré de verdure et d'eau. Parmi les églises de villes, celle de Québec est ruinée depuis le Siège et n'est pas encore rebâtie ; celle de Montréal, pittoresque à souhait, encombrée de sculptures et d'ex-voto, est un monument inachevé et quelque peu déconcertant ; seule l'église des Trois-Rivières a de l'envergure et de l'unité, mais elle est loin des dimensions de celle du Cap-Santé. Parmi les églises campagnardes, celle-ci est assurément la plus vaste, la plus imposante : plus vaste que son modèle de l'île d'Orléans ; plus imposante que les autres à cause de ses deux tours. Ainsi l'abbé Fillion a-t-il pu réaliser son rêve. Et ce modèle d'architecture ne reste pas isolé. En 1780, l'abbé Duburon essaie de le dépasser en édifiant l'admirable troisième église de Varennes[25] ; à l'Islet, l'abbé Hingan l'imite dès 1768 ; à

25. Cf. *Les Églises et le Trésor de Varennes*, pl. V et VI.

Saint-Joseph-de-la-Beauce, l'abbé Antoine Lamothe en fait autant en 1790 ; à Repentigny et à Saint-Denis-sur-Richelieu, à Berthier-en-Haut et à Louiseville, on imite l'œuvre de l'abbé Fillion avec autant d'élégance peut-être mais pas plus de grandeur.

C'est qu'en 1767, l'église du Cap-Santé n'est pas tout à fait celle qu'on voit aujourd'hui. Sans doute ses proportions sont-elles les mêmes — j'entends les relations générales de longueur, de largeur et de hauteur. Mais que de différences ! À la façade, point de portique ; partout la maçonnerie apparaît dans le charme de ses cailloux de granit et d'ardoise, et non point cette imitation de pierre en bois peint et sablé, qui est une vulgaire adjonction du XIXe siècle ; de chaque côté des tours, point d'appentis comme ceux que l'architecte David Ouellet a construits vers 1877 pour y loger des chapelles ; et les clochers d'autrefois (*planche I*), robustes en leur unique lanterne, d'un dessin volontairement galbé, parfaitement adaptés à la carrure des tours, donnaient à l'ensemble une allure martiale. Et j'imagine que nos arrière-grands-pères, en contemplant avec émotion leur nouvelle église, éprouvaient au fond de l'âme je ne sais quel étrange contentement, qui vient de l'extrême simplicité des proportions et d'un certain genre de majesté . . .

RÉPARATIONS RUINEUSES

Souvent on a fait à l'abbé Fillion le reproche d'avoir édifié une église trop vaste pour les moyens des tenanciers. Pour être juste, il faut se rappeler que, de son vivant même, la paroisse comptait près de deux mille âmes et que, vers 1830, selon les chiffres de l'abbé Gatien[26], elle en comprenait plus de trois mille trois cents. Non, son église n'est pas trop vaste. Mais elle est construite en pierre de médiocre qualité, sur un terrain particulièrement imbibé d'eau de source. On comprend alors que ses longs-pans se soient lézardés à maintes reprises et que ses murs n'aient pu tenir les nombreux crépis qu'on y a posés. Dix ans après la fermeture du chantier, on lit au *Livre de comptes* : « Pour un nouveau crépi à l'église du côté du nord, en matériaux, main d'œuvre . . . 800#. » En 1785, on y lit encore : « Pour un nouveau crépi au pignon et du côté du nord — dépen-

26. Cf. *Op. cit.*, pp. 363-366.

sé tant pour l'échafaudage que pour main d'œuvre, chaud, peinture, huile, nourriture des ouvriers, cloux, et plusieurs autres articles portés sur le mémoire du marguillier pour 1062#. » En 1786, on procède au crépissage de la muraille méridionale ; trois ans après, on crépit la partie supérieure du pignon ; en 1796, nouvelles réparations aux murs . . . Il serait oiseux de signaler toutes les sommes, et elles sont élevées, que la fabrique a dépensées pour soustraire les murs à l'action corrosive [1] de la pluie et du froid. De guerre lasse, on se résigne, au XIXe siècle, à recouvrir partie des longs-pans d'un lambris de planches verticales, et la façade, d'un lambris posé à l'horizontale [2] et imitant la pierre de taille.

Jusqu'en 1807, l'église ne subit à l'extérieur aucun changement notable. Cette année-là, les marguilliers prennent la décision de faire disparaître le clocher de l'abside et de reconstruire les grands clochers. La gracieuse lanterne, dont on aperçoit la silhouette dans [*6*] l'aquarelle de George Hériot (*planche I*), écrasait, paraît-il, la charpente du chevet et causait de graves infiltrations de neige et d'eau ; il est vraiment dommage qu'au lieu de solider les chevrons et de boucher les fissures, on ait abattu la lanterne. Quant aux grands clochers, ils tombaient en ruine et, de plus, fatiguaient le sommet des tours ; l'abbé Gatien précise : « On leur substitua ceux que l'on voit actuellement, comme d'un meilleur goût à ce que l'on prétendait, et aussi comme fatiguant moins les murs. » Quelle que soit la justesse de cette explication, convenons que les anciens clochers avaient tout à fait grand air avec leurs larges lanternes surmontées de flèches effilées ; et que les clochers actuels sont tout aussi beaux peut-être, mais à condition de les isoler de l'ensemble (*planche VI*) — ce qui laisse assez entendre qu'ils sont hors d'échelle avec le monument. S'ils sont malheureusement trop petits, ils n'en possèdent pas moins les qualités d'élégance, de pureté de dessin et de logique constructive de nos anciens clochers — notamment ceux de Berthier-en-Haut et de Louiseville[27], édifiés vers 1803-1804 dans un style particulier à la région de Montréal[28]. Au reste, les clochers du Cap-Santé ont fait école : ce sont eux qu'on a imités à Saint-

---

27. Les clochers de Louiseville ont disparu avec l'église dans la démolition de 1917. On en peut voir une photographie dans *Coup d'œil sur les arts en Nouvelle-France*, pl. V.

28. Les plus beaux clochers de ce style sont ceux de Lacadie et de Saint-Roch-de-l'Achigan ; avant 1908, il en existait un d'une extrême élégance à Saint-Marc (Verchères).

Jean-Port-Joli, à Lauzon, à Saint-André (Kamouraska), à quelques autres églises qui ont disparu.

DÉCOR DE L'INTÉRIEUR

Revenons un peu en arrière. Vers 1773, les menuisiers Godin travaillent à la fausse-voûte. Aussitôt qu'elle est terminée, l'abbé Fillion transporte dans la nouvelle église les meubles de l'ancienne, c'est-à-dire le maître-autel et les crédences. Il fait ensuite démolir l'ancienne église, procède lui-même à la bénédiction du nouveau temple et commence à songer à son ornementation. Mais orner un édifice aussi vaste et aussi élevé, c'est un problème assez ardu, tant au point de vue de l'art que de l'argent. Quand on voit les ressources de la fabrique s'engouffrer dans des réparations continuelles, on hésite avant de s'engager dans une tâche aussi hasardeuse. Il semble que les fabriciens se soient rendu compte de l'irrésolution de leur curé et qu'ils n'aient osé prendre eux-mêmes aucune décision. Pendant près d'un siècle, curés et marguilliers se contentent d'entreprises partielles, parfois médiocres, qui ont peu de rapport les unes avec les autres. Nul plan général ; nulle pensée directrice. Les ccmmandes se font à mesure de l'urgence des besoins, et sans que la majesté du monument soit le moindrement en cause.

Les archives paroissiales nous renseignent assez mal sur les ouvrages de l'intérieur de l'église et sur leurs auteurs. Ainsi à la date de 1768, on lit cette longue mention : « Deue (dû) de plus pour le grand autel tant pour louvrage de louvrier que pour la position de cet autel, nourriture pendant deux mois de louvrier, planches employées dans le sanctuaire, huile et peinture appliqués à cet autel la somme de 1556#. » Il s'agit d'un tombeau d'autel, tout probablement sculpté par les frères Levasseur et destiné à soutenir le tabernacle de Jean Valin. En 1772, on paie trois cent vingt livres « pour la dorure du grand autel ». La fabrique paie, en tout, près de trois mille livres ; mais on aurait tort de croire que cette somme entière s'applique au tombeau d'autel ; car on lit, en 1770, cette mention imprécise : « Payé à différents particulicrs tant pour ce qui a rapport à l'autel que pour autres *dettes* la somme de 1072#. » Et pour peu qu'on ait parcouru les comptes de cette époque, on se rappelle que certaines entrées se rapportent à toutes sortes de dépenses fort différentes. Quoi qu'il en soit, transcrivons ici quelques entrées moins obscures : « (1775) pour le petit autel, 400#. » En 1779 : « Pour la chaire[29], y compris la peinture et dorure, 350#. » En 1784 : « Pour deux petits autels en tombeau y compris la planche, Balustrade et peinture, 520#. » Ce sont les derniers ouvrages (ils ont disparu depuis longtemps) que commande l'abbé Fillion ; il s'éteint en 1795, sans avoir pu orner davantage le temple qu'il avait édifié avec tant de courage.

Son successeur, l'abbé Dubord, après avoir fait subir à l'église des réparations considérables, se laisse prendre aux promesses d'un sculpteur montréalais, Louis Quévillon[30], qui cherche des commandes dans la région de Québec. Celui-ci s'engage à construire trois retables et à sculpter un tombeau d'autel, pour la somme de près de sept mille livres. Le tombeau *à la romaine* existe encore (*planche X*) ; c'est un meuble d'un style vaguement

29. « Quoique simple, le goût en est bon », écrit l'abbé Gatien en 1830. Donnée à la paroisse de Portneuf en 1861, elle a péri dans l'incendie de l'église, en 1925.

30. Né à Saint-Vincent-de-Paul en 1749, mort au même endroit en 1823. Cf. VAILLANCOURT, *Une Maîtrise d'art en Canada*. Montréal, 1920. — Au cours des années 1800-1810, Quévillon s'est fait attribuer quelques commandes dans la région de Québec, notamment à Sainte-Croix (Lotbinière), à Saint-Charles (Bellechasse) et à Sainte-Marie-de-la-Beauce.

Louis XV, que Quévillon a exploité sans imagination. Mais les retables ont disparu en 1860 ; l'abbé Gatien, qui les a eus sous les yeux pendant vingt-sept ans, les juge sainement quand il écrit : « Tous ces ouvrages, médiocres en eux-mêmes, furent payés très cher[31]. »

Le mauvais sort s'acharne tant sur l'ornementation de l'église que l'abbé Gatien même, malgré son goût, ne réussit qu'à moitié quand il tente d'orner son église. En 1843, il confie au sculpteur Louis-Xavier Leprohon[32] la tâche d'exécuter les trois tabernacles. Celui du maître-autel, vraiment monumental, coûte la somme de cent dix louis[33], moins la dorure ; les deux autres, de dimensions exiguës, ne coûtent que quinze louis chacun. Leur dorure absorbe à elle seule plus de cent cinquante dollars. Sur ces meubles d'une ordonnance sage, nulle figure sculptée, nul bas-relief historié ; uniquement de la sculpture ornementale, rinceaux et fleurs, d'un assez faible

---

31. Cf. *Op. cit.* (édition de l'abbé GOSSELIN), p. 84.

32. Né à Montréal en 1795. — Parmi ses œuvres, signalons le retable et les fonts baptismaux de l'Ile-Perrot, la voûte de l'ancienne église de l'Ancienne-Lorette et les deux colonnes qu'on a érigées à Beauport en 1842, à l'occasion de la mission de tempérance qu'a prêchée cette année-là l'abbé Charles Chiniquy.

33. Le louis valait quatre dollars.

relief. Leprohon, ordinairement mieux inspiré, se montre ici craintif à l'excès. [1]

L'abbé Gatien meurt en 1844. Ses successeurs, [2, 3] les abbés Lefrançois et Morin, s'occupent peu de l'intérieur de l'église. Le premier y installe le chauffage ; le second y fait élever des tribunes latérales, qu'on enlève deux ans après leur construction, tant elles sont laides. Au reste, c'est l'époque du démembrement des anciennes paroisses, et le Cap-Santé y laisse plus que des plumes : Saint-Basile, Saint-Raymond, Pont-Rouge, Portneuf . . . [4] Et c'est peut-être la crainte que sa paroisse ne soit démembrée de nouveau qui [5] engage l'abbé Lahaye à entreprendre sans retard l'ornementation de l'église.

1859 — L'ŒUVRE DE RAPHAËL GIROUX

En 1857, l'abbé Pierre-Léon Lahaye prend possession de la cure. Né à Lotbinière en 1820, il n'a cessé de voir pendant son enfance son église paroissiale encombrée d'échafaudages. C'est que de 1823 à 1828, Thomas Baillairgé sculpte le retable du sanctuaire et que, dix ans plus tard, Léandre Parent puis André Paquet, deux anciens apprentis de Baillairgé, travaillent à la voûte, à la chaire, au banc d'œuvre et à la corniche de Lotbinière. C'est probablement à voir travailler ces artisans que le jeune Lahaye prend le goût de la sculpture sur bois. Et peut-être, parmi les *compagnons* d'André Paquet, a-t-il l'occasion de faire la connaissance d'un sculpteur très habile, imaginatif et réfléchi, Raphaël Giroux, qui jouira plus tard d'une certaine réputation comme artisan, voire comme artiste[34]. Devenu vicaire à Saint-Roch de Québec, il retrouve la plupart des sculpteurs de l'église de Lotbinière, qui réparent les dégats de l'incendie du 28 mai 1845.

Il n'est donc pas étonnant qu'à peine arrivé dans sa nouvelle paroisse, l'abbé Lahaye tienne de longues conférences avec Raphaël Giroux. Les choses ne traînent pas en longueur. Le 25 juillet 1858, la répartition légale est homologuée et le plan des décorations fixé en ses détails. Fort habilement le curé ne saisit les fabriciens de ses projets qu'à des intervalles calculés avec à-propos : la chaire, le 6 janvier ; le banc d'œuvre, le 17 avril ; les trois retables, la corniche et les ornements de la voûte, le 20 novembre. Entretemps,

34. Raphaël Giroux est né en 1814 ; il est mort à Saint-Casimir (Portneuf) le 25 décembre 1869. — Il a laissé deux beaux ensembles décoratifs : les églises des Becquets et du Cap-Santé.

pour les tenir en haleine ou pour les désarmer, il leur propose d'autres ouvrages de peu d'importance, d'ailleurs. Les uns et les autres sont terminés et mis en place dans le cours [1, 2] de l'année 1860 (*planches VII à XII*).

Il reste encore à meubler de peintures les trumeaux du sanctuaire et les panneaux supérieurs des croisillons ; ce sera l'œuvre de [3] l'abbé Fortin et du peintre Antoine Plamondon. Le même curé construit deux chapelles en arrière de l'église, d'après les plans de [*53*] [4] David Ouellet (*planche XIII*) ; puis il commande les tabernacles de ces chapelles à Ouellet lui-même et à un certain Moïse Mar- [5] cotte. Et depuis un demi-siècle, l'intérieur de l'église ne change guère. On le nettoie à diverses reprises, avec discrétion ; on alourdit les murs de la nef de cartouches et de moulures en plâtre ; enfin, on garnit les fenêtres de verrières commerciales . . .

En entrant dans l'église du Cap-Santé — particulièrement à l'heure où le soleil, descendant sur la côte de Portneuf, frappe les oculus de la façade — , on ne peut se défendre d'une saisissante impression de grandeur. La nef, [*29*] prolongée par le transept dont on ne peut apercevoir le mur de fond, prend alors un singulier aspect de largeur et de profondeur ; le sanctuaire, sensiblement moins large que la nef, semble presque aussi vaste qu'elle, à cause de l'aménagement en degrés de son parquet et de la forte saillie du portique dans l'entrecolonnement duquel est encadré le maître-autel. La voûte se ferme, semble-t-il, à une grande hauteur, sans doute à cause de la magique illusion de sa plaisante courbe en anse de panier, mais aussi de la verticalité constante des éléments architecturaux, de la position élevée de la chaire, de l'élancement du banc d'œuvre et des travées du sanctuaire.

Et cette impression de grandeur, que ne justifient pas tout à fait les dimensions du monument, semble provenir uniquement du noble jeu des proportions. Proportions heureuses du vaisseau de l'église — et il faut les attribuer loyablement à ceux qui ont participé à sa conception, notamment à l'abbé Fillion et à son maître d'œuvre, le maçon Renaud. Proportions non moins heureuses du décor et des meubles sculptés — et il faut, cette fois, en rendre hommage à un seul homme, Raphaël Giroux, l'un des derniers grands sculpteurs-ornemanistes de l'École de Québec. Son chef-d'œuvre, la chaire du Cap-Santé, est l'un

38

37

des derniers reflets de ce que j'appellerais l'*esprit des Baillairgé*, dans lequel il entre un goût prononcé pour les formes Louis XVI, beaucoup d'ingéniosité et d'adresse dans le manîment des éléments du style classique, et un soupçon de l'aimable frivolité du XVIIIe siècle. Tant il est vrai que l'esprit d'une époque ne se perd jamais tout entier et qu'il revit parfois bien loin de son foyer initial, et avec combien de charme et de grâce . . .

II

SON TRÉSOR

Elles ne sont pas rares les anciennes paroisses de la Nouvelle-France qui sont pourvues d'un trésor plus riche que celui du Cap-Santé. Pour nous en tenir à la région de [1] Québec, Neuville et Saint-Augustin, Charlesbourg et Lorette, l'Islet et Saint-Joachim, Saint-Charles (Bellechasse) et Lotbinière con- [2] tiennent un nombre plus ou moins grand d'œuvres d'art du XVIIIe siècle, parfois du XVIIe. C'est que ces paroisses — et sans [3] doute pourrais-je en nommer d'autres —, si elles ont eu peut-être deux églises à construire en cinquante ans, ne se sont pas appauvries à les réparer sans cesse de fond en comble. Qu'on [4] songe qu'au Cap-Santé, les revenus de la fabrique fondent tous les dix ans en matériaux et en gages ; que pendant le demi-siècle qui s'écoule de 1775 à 1825, l'église de 1754 coûte cinquante mille livres de réparations de toute sorte, soit mille livres par année. Après de telles dépenses, il reste peu de numéraire pour l'acquisition d'œuvre d'art. [1]

SCULPTURE DÉCORATIVE

Si le Cap-Santé ne peut montrer aujourd'hui que peu de sculptures du XVIIIe siècle, il n'en faut pas conclure qu'il n'en ait point possédé. On se rappelle que vers 1738, la première église est pourvue d'abord d'une *chaire* anonyme, puis de deux meubles de Jean Valin, un *tabernacle* et un *chandelier pascal.* Le tabernacle n'a pas disparu tout entier ; il en reste deux *chandeliers* en bois doré, dont le style se rapproche de celui des chandeliers de Sainte-Croix (Lotbinière), qui sont du même sculpteur ; il en reste également une *Madone* à la mode de 1770, c'est-à-dire une Vierge tenant son fils sur son bras gauche et, de sa main droite, un sceptre. Ces chandeliers, œuvres de Jean Valin, et cette Madone, qui est peut-être de l'un des Levasseur, se trouvent depuis quelques années — et provisoirement, espérons-le — au manoir Mauvide-Genest, à Saint-Jean (île d'Orléans). [2]

46 *47, 48* *43*

Le *chandelier pascal* est le plus ancien que je connaisse en Nouvelle-France et, de plus, le premier exemple d'un type qui a fleuri dans la région québecoise : le chandelier en forme de torchère de style Régence (*planches XIV* et *XV*) ; il diffère de la torchère Louis XIV[35] en ce que son fût, très allongé, est en partie tourné et porte un décor de feuilles d'acanthe couchées sur la moulure du nœud, et de rubans en festons ; en 1758, Gilles Bolvin en donne le modèle parfait dans les chandeliers d'autel de Berthier-en-Haut[36] ; quelques années plus tard, les frères Levasseur portent ce type de chandelier à une grande perfection à Saint-François (île d'Orléans)[37] ; les Baillairgé, en dépit de leurs ressources techniques, ne parviendront jamais à le dépasser.

On a vu plus haut que nous ignorons tout des meubles qu'a commandés l'abbé Fillion entre 1775 et 1795. Nous savons même fort peu

---

35. Cf. *Philippe Liébert*, pl. XIII (Chandelier pascal de Saint-Martin (île Jésus), par Philippe LIÉBERT).

36. Ils sont au Château Ramesay, à Montréal. Leur auteur, Gilles Bolvin, est né à Avesnes (France) en 1711 ; il est mort aux Trois-Rivières en 1766.

37. Il s'agit de François-Noël Levasseur (Québec, 1703 — Québec, 1794) et de son frère, Jean-Baptiste-Antoine (Québec, 1717 — Québec, 1775). Leur père, Noël Levasseur, mort à Québec en 1740, a laissé une fort belle œuvre dans la chapelle des Ursulines de Québec.

41, 42, 42b
19 1

de choses des trois statues en bois sculpté et doré — *Marie*, *Jésus* et *Joseph* — qui meublent les niches de la façade. La seule mention que j'en trouve au *Livre de comptes* date de 1786 et se lit en ces termes : « . . . pour or appliqué à la grande voûte et aux statues . . . » En les analysant avec soin, le problème s'éclaircit ; car il existe à Batiscan, à Saint-Sulpice (près Montréal), à Montmagny et à l'Hôpital-général de Québec, des statues et des statuettes en bois qui possèdent les mêmes caractères, la même complication dans les vêtements, la même naïveté dans les expressions, le même air de famille ; or, on sait que cette statuaire en bois est l'œuvre des frères Levasseur, spécialement de l'aîné, François-Noël. Il est donc vraisemblable d'attribuer à ce dernier les trois personnages d'allure un peu maniérée, qui gesticulent dans les niches du pignon depuis les environs de 1775.

Les gravures qui complètent mon ouvrage me dispensent d'insister sur la sculpture du XIXe siècle : le *tombeau d'autel* de Quévillon, les *tabernacles* de Leprohon et le décor de meubles et de motifs décoratifs de Raphaël Giroux. Ces œuvres ne sont pas du même style, mais elles ont des points communs de forme et de facture, qui en font l'unité. Même le *buffet d'orgue*[38], construit en 1880 par Napoléon Déry de Québec, s'harmonise aisément avec les autres meubles de l'église. En sorte que se dégagent de l'ensemble une distinction et un charme qui rappellent les rares monuments religieux de style Louis XVI.

TABLEAUX DE DÉVOTION

Dès 1718, les fabriciens du Cap-Santé acquièrent une peinture destinée au retable du maître-autel, une *Sainte Famille* qu'ils paient cent francs. Elle n'existe plus.

En 1746, deux autres peintures entrent dans l'église : une *Madone tenant son enfant* et un *Saint Joseph et l'enfant Jésus*. Elles portent la signature de Paul Beaucour[39], père de l'artiste François Beaucour, et la date de 1746 ; l'année suivante, elles figurent dans l'*Inventaire* que j'ai cité plus haut. Sur l'une

---

38. Cet orgue, l'un des premiers instruments de Déry, a dix-huit jeux répartis sur trois claviers : un Grand Orgue de neuf jeux (Montre, Flûte traversière, Bourdon, Dulciane, Prestant, Flûte, Cornet, Doublette et Trompette), un Récit de sept jeux (Flûte, Clarabelle, Viole de gambe, Principal, Piccolo, Hautbois et Cromorne) et un Pédalier de deux jeux (Sous-basse et Bourdon de seize pieds). Ses jeux de métal viennent de la maison Pierce, de Londres ; ses jeux de bois, façonnés par Déry, sont remarquables.

39. Né en 1700, mort à Québec en 1756.

de ces peintures, on voit la Vierge presque de face, la tête légèrement tournée vers la droite et couverte d'un voile brun ; elle porte une tunique vermillon et un manteau bleu vert ; elle vient de tirer de son berceau l'enfant Jésus vêtu d'une chemisette jaunâtre. Au fond, un paysage à demi effacé et le firmament verdâtre ; au premier plan, le lit de l'enfant. — L'autre tableau est peint dans les mêmes tonalités : saint Joseph, vu de trois quarts à gauche, vêtu d'une tunique verte et d'un manteau brun, le visage cuivré, les lèvres fort rouges, les traits empreints de tristesse, tient un lis de la main gauche et, du bras droit, embrasse l'enfant Jésus debout sur ses genoux ; celui-ci, en chemise jaunâtre, couronne son père de fleurs ; le fond est bleu vert[40].

Pendant longtemps, ces peintures suffisent à l'église. En 1817, à la vente de la collection Desjardins dans la chapelle de l'Hôtel-Dieu de Québec, l'abbé Janvier Leclerc jette les yeux sur une grande toile, la *Sainte Famille* par un nommé Charles Dusaultchoy[41], qui,

---

40. Cf. *L'Événement* (Québec), 5 décembre 1934, p. 4. — Ces deux peintures, qui se trouvaient au presbytère du Cap-Santé en octobre 1934, n'y sont plus . . .

41. Né à Toul (Meurthe) en 1781, mort à Montmorency (Seine-et-Oise), en 1852.

au dire de l'abbé Gatien[42], « n'avait été envoyée de France en ce pays que comme servant d'enveloppe à d'autres tableaux ». Et l'abbé Gatien, dégageant charitablement la responsabilité de son prédécesseur, remarque avec ironie : « Si les marguilliers avaient été obligés de se connaître en peinture, ils seraient bien à blâmer sans doute pour une pareille acquisition. »

Huit ans après, l'abbé Gatien, grand amateur de peinture, demande au doyen des artistes québecois, Joseph Légaré[43], de lui brosser une *Présentation de Marie au temple* destinée à l'autel de la Sainte-Vierge ; c'est une imitation considérablement agrandie d'une composition italienne qui a appartenu au peintre copiste et qui se trouve maintenant au Musée de l'Université Laval, sous le nom de Domenico Feti[44].

Si l'abbé Gatien prise le talent de Légaré, il estime davantage celui d'Antoine Plamondon[45]. En 1825, il lui commande une grande

42. Cf. *Op. cit.* (édition de l'abbé GOSSELIN), p. 93.

43. Né à Québec en 1795, mort à Québec en juin 1855.

44. Par une étourderie inexplicable, la *Présentation* de Légaré a été placée, il y a près de vingt ans, à l'autel de Sainte-Anne.

45. Né à l'Ancienne-Lorette le 29 février 1804, mort à Neuville le 4 septembre 1895.

62 toile, les *Miracles de sainte Anne*, qui doit servir de pendant à la *Présentation* de Légaré.
1 — Là-haut à droite, sainte Anne est agenouillée sur des nuages compacts, cuivrés, floconneux. Pour son âge, elle est encore avenante ; elle est bien vêtue et sa figure n'est point vilaine. Elle intercède tant qu'elle peut auprès de son petit-fils en faveur des affligés de la terre. Le Christ est à gauche, tout en rouge ; sa figure est plus placide que ne le comporte son état ; il a même l'air d'écouter distraitement les supplications de sa grand'mère ; on dirait qu'il lui murmure : « Ce n'est pas d'hier qu'il y a des affligés dans la vallée de larmes ; il n'y a même que ça, il y en aura toujours . . . » C'est un personnage tout de convention, au regard doucereux, à l'expression banale, à la barbe postiche. Tout de même, le groupe de sainte Anne et du Christ plaît à l'œil en dépit de ses défauts. Il y a bien les rayons s'échappant de la tête de Jésus qui étonnent par leurs lignes géométriques trop rigides ; il y a bien aussi le ciel, où s'étale un mauve un peu louche . . . Mais continuons. En bas sont les misérables affligés, personnages que Plamondon a empruntés à des compositions du Dominiquin, de Gaspard

Crayer et de Mignard. L'un gît à terre, presque [1] nu, la tête levée ; c'est, semble-t-il, un lépreux — pourquoi un lépreux en pleine Nouvelle-France ? —, et qui n'a pas l'air de trouver [2] la vie bien gaie. A côté est une femme à [3] genoux. On voit encore d'autres personnages, ou plutôt des bras et des jambes qui appartiennent sans doute à l'anatomie d'autres affligés dont on distingue mal les formes. Au [4] fond, c'est la mer démontée, houleuse, qui secoue une barque à voile blanche ; dans la barque, un homme en détresse, qui voudrait bien que sainte Anne n'oublie point de le secourir. Le coloris de cette composition est loin d'être désagréable. Comme pour accentuer l'impression de désespérance qui se dégage de la scène, l'artiste a assombri ses tons et fortement insisté sur les bruns verdâtres et les gris. [5]

Voici l'abbé Gatien tout à fait en confiance. Il admire Plamondon ; sa précocité, la facilité de son pinceau, son initiative. Et il songe à lui commander une toile qui remplacerait avantageusement la pitoyable *Sainte Famille* de Dusaultchoy. Je laisse la plume à l'historien du Cap-Santé. [6]

« Peu de temps après avoir fait le tableau de *Sainte Anne*, M. Plamondon, sachant com-

4

bien le tableau du maître-autel déplaisait à M. le curé, fit généreusement les propositions suivantes à ce sujet : ce monsieur offrait de faire, à la place du tableau du maître-autel, une copie fidèle du superbe tableau de l'*Adoration des Mages*[46], qui est à la chapelle des Messieurs du Séminaire de Québec, et dans les proportions qu'on voudrait déterminer ; à condition qu'on lui abandonnerait le tableau actuel à grands personnages ; qu'on lui donnerait trois louis en dédommagement pour les frais des matières du tableau qu'il ferait ; enfin à condition qu'on lui donnerait la préférence pour faire les deux autres tableaux qu'on avait résolu de faire peindre pour mettre dans les deux grands trumeaux du chœur, pour chacun desquels tableaux avec leurs cadres, on lui paierait vingt louis ; les sujets de ces nouveaux tableaux, ainsi que leurs dimensions, étaient au choix de M. le curé... » Cette offre de Plamondon, l'abbé Gatien l'accepte sur-le-champ ; mais les marguilliers ne sont pas de son avis : « changés tout à coup et comme par enchantement en admirateurs passionnés de leur tableau à figures gigantes-

---

46. L'abbé Gatien veut parler ici d'une peinture de l'artiste français Bounieu, peinture qui provenait de la collection Desjardins, et qui a été détruite dans l'incendie du 1er janvier 1888.

ques ; et surtout charmés de ces couleurs qu'eux seuls y voyaient, et demandant avec une inquiétude ironique si le tableau qu'on leur offrait à la place du leur serait aussi brillant et aussi haut de couleur, car c'étaient les seules choses qu'ils paraissaient alors le plus apprécier ; en un mot paraissant désespérer d'avoir jamais dans leur église rien de si parfait en fait de peinture que leur grand tableau, MM. les marguilliers, rejetant les propositions de M. Plamondon, refusèrent obstinément d'abandonner le chef-d'œuvre qui orne leur maître-autel[47]. » Subitement, les marguilliers se ravisent ; mais il est trop tard : Plamondon part pour l'Europe dans quelques jours.

En 1830, Plamondon est de retour de Paris. Il renouvelle ses offres. Hélas ! le coffre de la fabrique est presque vide : comme si les réparations de l'église n'y suffisaient pas, voilà que des bandits en enlèvent, en 1826 et le 11 juin 1829, tous les louis disponibles . . .

Ce n'est qu'en 1859 qu'on rencontre de nouveau le nom de Plamondon dans les archives du Cap-Santé. A cette date, il restaure la *Sainte Famille* de Dusaultchoy ; mais les

47. Cf. *Op. cit.*, pp. 222 et 223.

repeints de l'artiste ne peuvent donner à ce *rossignol* les qualités qu'il n'a point. Aussi bien, décide-t-on de s'en débarrasser, et avec une certaine élégance : on en fait don à la paroisse naissante de Portneuf. Pour le remplacer, on commande à Plamondon une copie de la *Vierge au diadème* de Raphaël ; l'original, conservé au Musée du Louvre, est une peinture d'environ vingt-six pouces sur vingt ; le copiste en a tiré une peinture d'une douzaine de pieds de hauteur ; il ne s'est pas contenté d'agrandir démesurément le sujet, il a peuplé le ciel d'un motif emprunté à Raphaël, mais à une autre œuvre : *le Père éternel entouré d'anges*, et il a modifié le coloris, en ne ménageant pas les mauves. Cette peinture, commandée en 1861, porte le millésime de 1866.

L'année suivante, Plamondon signe deux médaillons de facture très soignée : une copie du Christ de la *Cène* de Léonard de Vinci et une copie de la *Vierge à la chaise* de Raphaël. Drôle d'idée tout de même que celle d'isoler le Christ de Léonard et de l'enserrer dans un ovale en largeur ; l'opération était périlleuse, et l'artiste s'en est tiré sans trop de bévues. La *Vierge à la chaise* est intéressante en ce sens que le copiste a substitué ses harmonies de couleur à celles de Raphaël ; à distance, l'œuvre n'en souffre pas trop . . .

Voici les deux dernières copies que Plamondon a peintes, en sa laborieuse vieillesse, pour l'église du Cap-Santé : la *Mort de saint Joseph* et la *Descente de croix* ; elles portent la date de 1876. La première est une méchante toile, aussi mal peinte que mollement dessinée. La seconde ne manque pas d'une certaine souplesse dans le modelé, ni de goût dans la couleur ; c'est que le talent du copiste était largement soutenu par les qualités de la composition originale : l'admirable peinture de Jean Jouvenet à l'église Notre-Dame de Pontoise.

PIÈCES D'ARGENTERIE

Le véritable trésor du Cap-Santé, c'est son argenterie religieuse. Elle n'a pas l'extrême variété de l'argenterie de Charlesbourg et de Saint-Joachim, ni l'abondance de celle de Saint-Augustin et de Saint-Charles (Bellechasse) ; mais elle comprend des pièces typiques, vraiment originales, d'une grande somptuosité de matière et d'une étonnante virtuosité d'exécution ; même des vases

d'une telle simplicité qu'on les croirait façon-
1 nés d'hier.

On se rappelle les termes de l'*Inventaire* de
1747 : « Un calice et un ciboire dargent et une
petite boëte dargent pour porter aux malades
le S^{t} viatique, un Soleil de cuivre doré, un
boëtier dargent contenant les trois petites
boëtes (aussi dargent) pour les S^{tes} huiles ;
le St Chreme huile des Cathecumènes et celle
2 des Infirmes . . . » Le *ciboire*, façonné en
1718 avec les cuillers et les fourchettes d'argent
de M. Robineau de Bécancour, était probable-
3 ment l'œuvre de Jacques Pagé dit Quercy ;
4 le *calice* datait de 1740 et était, on l'a vu plus
haut, l'œuvre conjointe de Paul Lambert et de
5 Michel Cotton ; quant aux *boîtiers* et aux
ampoules aux saintes huiles, ils ne figurent pas
6 au premier *Livre de comptes* ni au *Journal*.
Cette argenterie, qui serait précieuse aujour-
d'hui pour l'étude de la technique de nos
7 orfèvres, a disparu au cours du XVIIIe siècle,
8 soit qu'on l'ait fait refondre, soit qu'on l'ait
9 donnée à quelque paroisse naissante. Il en
est ainsi d'une paire de *burettes* de François
10, Ranvoyzé[48], qu'on a acquise en 1770, et de
deux autres *burettes*, celles-ci de Laurent

48. Cf. *François Ranvoyzé*, passim.

Amyot, que la fabrique a payées cent cinquante-six livres en 1796. En 1822, Amyot façonne une autre paire de *burettes*, que Pierre Lespérance refondra une cinquantaine d'années plus tard[49].

L'argenterie actuelle de l'église est l'œuvre de trois orfèvres — Laurent Amyot, François Sasseville et Pierre Lespérance[50] —, qui forment une sorte de dynastie d'artisans. Laurent Amyot, de retour de Paris en 1787 après y avoir puisé l'esprit et assimilé les éléments du style Louis XVI, ouvre un atelier dans la Côte-de-la-Montagne et devient en peu d'années le grand orfèvre de son temps ; vers 1815, il prend comme apprenti François Sasseville, qui devient ensuite son *compagnon* puis, en 1839, son successeur ; Pierre Lespérance fait son apprentissage et son compagnonnage chez Sasseville et recueille sa succession en 1864. En sorte que le style de Laurent Amyot, loin de mourir avec lui, se prolonge avec de notables variantes, dans l'œuvre de ses disciples.

---

49. Dans le deuxième *Livre de comptes*, l'entrée se lit en ces termes : « Pour des burettes neuves avec le bassin. Le Marguillier a donné pour la valeur de £5 en vieille argenterie, en sus des 96# en espèces. »

50. Voici leurs dates biographiques : Amyot, 1764-1839 ; Sasseville, 1797-1864 ; Lespérance, 1819-1882. Amyot et Lespérance sont nés à Québec.

Parmi les éléments du style Louis XVI que Laurent Amyot met en œuvre dès son retour de France, il y a le feston de feuilles de laurier, traité en relief à la mode antique. On l'observe pour la première fois chez nous dans la lampe de sanctuaire de Repentigny[51], l'un des premiers ouvrages d'Amyot — son chef-d'œuvre, au sens ancien du mot ; on le trouve également dans les deux plus anciennes pièces du Trésor du Cap-Santé, le *bénitier* et la *lampe de sanctuaire* (*planches XVI* et *XVII*)[52]. Les feuilles de laurier, se détachant de la surface du métal en un relief vigoureux et hardi, se suivent en une courbe gracieuse par groupes de trois, séparées par les billes menues de leur baies ; elles sont ciselées avec une telle maîtrise, un tel naturalisme dans le dessin, une si charmante fantaisie, qu'on a l'impression qu'une branche de laurier, cueillie par Apollon lui-même, est venue se poser là, sur ce tore nu, comme sur l'auguste front du dieu antique . . . Mais le feston n'est qu'un des éléments décoratifs du bénitier et de la lampe d'Amyot.

---

51. Cette lampe, très ornée et de grande taille, date de 1788 ; elle a coûté la somme de 1500#.

52. Le bénitier date de 1794 ; il a coûté 540#. La lampe a été façonnée l'année suivante et a coûté 1200#. Voici leurs dimensions : le bénitier a onze pouces de diamètre ; la lampe en a quinze.

Ces pièces ont d'autres qualités. Il convient d'en signaler la vigueur des contours, l'exactitude des proportions, la martiale rondeur des godrons et la grâce des feuilles d'acanthe. Certains motifs plaisent par la discrétion de leur rôle décoratif : par exemple, les *postes* qui courent sans interruption sur la moulure médiane de la lampe, et l'espèce de corselet de godrons plats qui semblent étrésillonner la panse de la lampe et du bénitier.

Laurent Amyot tire parti d'un autre élément du style Louis XVI : le godron large, architectural, cerné d'un double rang de ciselures. Tel apparaît-il sur la panse de l'*encensoir*[53] qu'Amyot martèle en 1822 à la demande de l'abbé Gatien (*planches XX* et *XXI*) ; il s'y étale à l'aise, avec un brin de solennité, débordant un peu sur la courbure de la panse. Tout dans cette pièce est d'une tenue irréprochable : les gloires majestueuses du premier étage de la cheminée, les francs godrons de la base, les fines feuilles de lotus qui se découpent dans les ouïes de la couronne,

---

53. Cf. Le *Journal* de la fabrique, 1822 : « Pour un encensoir neuf avec la navette, qui coûte £25. Le marguillier n'a déboursé que £19. Le reste se trouve payé par la vieille encensoir donnée à Mr Amiot en payement . . . 456#. »

la forte pomme de pin coiffant l'encensoir comme la lanterne d'une coupole.

Retournons un moment en arrière pour examiner brièvement deux pièces qu'Amyot a ciselées en 1801 et en 1804, un *calice* et une *aiguière baptismale.* Le calice (*planche XVIII*)[54] est tout simple : une coupe en forme de timbale, une fausse-coupe ajourée et godronnée, un nœud et une base striés de godrons. L'aiguière baptismale (*planche XIX*) est tout aussi simple ; c'est une théière minuscule[55], emmanchée d'un long bec et munie d'une anse en point d'interrogation ; seules, ses proportions en font une gentille œuvre d'art, que ne renierait pas le moderne le plus farouche.

Ce sont également les qualités d'un *plateau à burettes* tout uni mais impeccablement mouluré, et d'un *boîtier aux saintes huiles* en argent (*planches XXII* et *XXIV*) ; ces pièces, surtout le plateau, sont si simples et si parfaites qu'on ne trouve rien à en dire ; car aucun

---

54. Cf. *Livre de comptes* I, 1801 : « Ciboire et calice, sept cent soixante douze livres . . . 772#. » Le ciboire a été refondu en 1854 par François Sasseville.

55. Elle a deux pouces et cinq huitièmes de hauteur ; elle a coûté trente livres.

commentaire n'en peut faire sentir davantage la finesse des contours et de la mouluration. 1

UN CHEF-D'ŒUVRE DE SASSEVILLE

A l'automne 1843, 2 l'abbé Gatien se rend à la boutique de Sasseville, sise côte du Palais, et jette un coup d'œil sur les derniers ouvrages du maître. 3 C'est l'époque où Sasseville, sans dédaigner les motifs ornementaux et les gabarits qu'il a hérités de son maître, s'amuse à rendre, sur 4 des feuilles d'argent d'une épaisseur inusitée, 5 des scènes évangéliques exécutées au poinçon, au burin et au ciselet. Déjà il a façonné, pour 6 des églises de Québec et des environs[56], des ciboires, des calices et des ostensoirs ornés de médaillons historiés. L'abbé Gatien, naguère 7 sculpteur, apprécie en *connoisseur* les ouvrages 8 de Sasseville, leur rendu sans défaillance, leur exécution à la fois onctueuse et volontaire. Quant aux scènes évangéliques, il croit les reconnaître : l'orfèvre en prend l'ordonnance, sinon l'esprit, dans les gravures des missels anciens, dans les tableaux de la Cathédrale et de la chapelle du Séminaire, ou encore dans les

---

56. À l'Ange-Gardien, à Lotbinière, à la cathédrale de Québec, à Neuville, on peut voir des calices historiés de Sasseville.

estampes que son ami, l'abbé Jérôme Demers, accumule depuis des années sur les murs de sa [1] chambre.

Ce que l'abbé Gatien désire pour son église, [*102*] c'est un grand calice, avec une coupe en vermeil, une fausse-coupe couverte de feuillages et [2] de médaillons, un nœud en forme d'urne Louis XIV, un pied où apparaissent, si possible, trois sujets tirés de l'Évangile. Les médaillons de [*123*] la coupe sont tout trouvés : la *Foi*, l'*Espé-* [*124, 125*] *rance* et la *Charité*, que l'orfèvre cisèlera d'après des images du XVIIIe siècle — de ces images souvent anonymes qui rappellent la mièvrerie de Greuze. Quant aux bas-reliefs du pied, l'abbé Gatien en a choisi les sujets : [*132, 136*] l'*Adoration des Bergers*, le *Lavement des pieds* [*130*] et le *Christ en croix*. Pour le premier sujet, il y a dans la Cathédrale une grande peinture attribuée, sans doute à tort, à l'un des Carrache[57] ; Sasseville n'aura qu'à la démarquer, [3] en y ajoutant de son cru s'il le désire. Pour le *Lavement des pieds*, l'abbé Gatien a son affaire: une gravure d'une composition d'Annibal Carrache, dans le même sentiment que l'*Adoration des Bergers*. Pour le *Christ en croix*, les

---

57. Peinture de la collection Desjardins, qui a été détruite dans l'incendie de la Cathédrale le 22 décembre 1922.

modèles ne manquent pas, et l'orfèvre saura les transposer.

L'abbé Gatien est mort en juillet 1844, quelques mois avant l'achèvement de la somptueuse pièce d'argenterie qu'il avait commandée. Ce calice existe encore, et en parfait état *102* de conservation ; c'est l'un des plus grands de l'École canadienne. Il a douze pouces et [1] demi de hauteur, et sa base a six pouces et demi de diamètre. Il porte le poinçon de l'orfèvre (F.S. dans un ovale), cantonné de deux petites étoiles. Ce qui est relativement neuf dans le calice de Sasseville, c'est le galbe [2] général de la pièce, étudié avec un sens très juste des masses et des détails ; c'est la forme [3] de la coupe, sorte de timbale princière dont [4] l'évasement est généreux ; c'est le nœud qui s'épanouit en urne ; c'est le pied, vaste, ponctué de godrons, coupé de raies de cœur, pied au renflement solide et stable. [5]

L'analyse des éléments d'une telle œuvre est déconcertante. On y trouve des motifs [6] Louis XIV, un peu de l'esprit du XVIIIe siècle finissant et beaucoup de l'éclectisme du siècle suivant. Et pourtant, il y a de l'unité dans cette œuvre, dans la distribution des ornements, dans la compréhension même du décor.

Tout semble produit d'un seul jet ; non pas créé par une force qui s'exalte, mais ordonné par une nature sensible et réfléchie (*planches XXV* à *XXX*).

Je m'attarde sur le plus parfait des médaillons de ce calice, le *Christ en croix*. La composition en est claire, dense, fermement nouée autour de la croix, pleine d'émotion et de mouvement. Voyez le groupe des Saintes Femmes, à gauche, relié à la croix par une mosquée et son minaret ; à droite, la liaison des groupes est tout aussi étroite : Marie-Madeleine, dans une attitude de tendresse navrée, forme un unique couronnement aux motifs de l'arrière-plan et joint à la croix l'olivier pittoresque qui se tord à droite. L'exécution de ce morceau est d'une virtuosité imperturbable ; les détails, surtout les draperies, rappellent d'assez près l'art d'un sculpteur français trop peu connu du XVIe siècle, Germain Pilon ; ils rappellent encore la manière d'un sculpteur québecois contemporain de Sasseville, Thomas Baillairgé[58]. Qu'on examine la *Mise au tombeau* de Pilon[59], l'*Espérance* de Thomas Bail-

58. Sculpteur et architecte. Né à Québec en 1791, mort en 1859.

59. Ce bas-relief en bronze, provenant de l'église parisienne Sainte-Catherine du Val-des-Écoliers, est au Musée du Louvre.

lairgé à l'église de Saint-Joachim (Montmorency) et le *Christ en croix* de Sasseville ; l'œuvre de Germain Pilon, c'est entendu, déclasse les deux autres ; mais celles-ci sont de la même famille que celle-là ; elles en ont la même qualité d'esprit, la même sensibilité frémissante. Tant il est vrai qu'à travers les âges, la nature, moins inventive peut-être que les hommes, se répète sans se lasser, certaine de ne jamais décevoir les humains oublieux . . .[60].

Enfin, pour être complet, l'inventaire du Trésor du Cap-Santé doit comprendre encore un petit *ciboire* de François Sasseville, dépouillé de tout ornement, et deux paires de *burettes* en argent, façonnées vers 1875 par Pierre Lespérance (*planche XXIII*)[61]. Les burettes, au lieu de porter le poinçon de cet orfèvre, pourraient tout aussi bien être poinçonnées L.A ou F.S, tant elles ressemblent aux ouvrages d'Amyot et de Sasseville.

---

60. J'ai emprunté les paragraphes qu'on vient de lire à une étude que j'ai fait paraître dans *Technique* (Montréal), octobre 1942, pp. 526-530.

61. J'allais oublier le manuscrit de l'*Histoire du Cap-Santé* de l'abbé Gatien. Par son style, par la clarté de son ordonnance, par sa présentation matérielle et sa spirituelle calligraphie, c'est une véritable œuvre d'art.

1 RÉFLEXIONS DE LA FIN

Telle est, en quelques pages essentielles, l'histoire succinte des deux églises du Cap-Santé et des œuvres d'art qui s'y trouvent. Les trente-deux gravures qui suivent ces courts chapitres font voir, avec plus d'éloquence que les commentaires les plus précis, l'abondance et la qualité des œuvres d'art que l'ingéniosité, le labeur persévérant et la sensibilité de nos ancêtres ont laissées sur ce coin de terre favori de la nature.

Le Cap-Santé n'est que l'une des quelque cent vingt-cinq paroisses de la Nouvelle-France qui remontent au XVIIIe siècle, sinon au XVIIe. C'est dire que les autres paroisses, plus ou moins favorisées par la géographie, par la fertilité du sol ou par la générosité de leurs premiers habitants, pourraient être l'objet de monographies du même genre, dans lesquelles les pages consacrées à l'architecture et à l'argenterie, aux tableaux d'église et à la sculpture seraient plus ou moins copieuses selon le hasard des commandes, de la prospérité collective et des goûts des curés ou des fabriciens. Déjà, quelques églises et monuments civils ont, depuis un quart de siècle, leurs monographes, leurs aquafortistes, même leurs peintres ; déjà les quatre églises de Varennes et leurs œuvres d'art ont fourni à l'auteur de ces lignes la matière d'une quarantaine de pages d'histoire, illustrées de gravures et de dessins ; et grâce aux milliers de documents de toutes sortes et de photographies que possède l'Inventaire des œuvres d'art de la Province[62], il devient possible d'entreprendre la publication prochaine d'un certain nombre de monographies, dont la formule est susceptible de varier à l'infini — de la simple esquisse historique comme mon livre sur Varennes jusqu'à la monographie monumentale du genre de *la Paroisse* de M. Olivier Maurault.

Lorsque nos monuments civils et religieux d'autrefois nous auront livré le secret de leur beauté intime, de leurs artisans méconnus et de leurs transformations ; que des chercheurs méticuleux et patients auront mis à jour d'énormes masses de faits et, documents en mains, les auront analysés et commentés à leur mérite ; que les énigmes incroyables de toute une partie de notre évolution nationale se seront évanouies et que des légendes tenaces seront

62. Je me permets de rappeler au lecteur, spécialement au chercheur qu'intéressent les choses de l'art en Nouvelle-France, que les archives de l'Inventaire sont ouvertes au public. On adressera les demandes au Secrétariat de la province, à Québec.

reconnues vaines et définitivement écartées, alors la *grande histoire*, si elle veut garder légitimement son nom et qu'on l'estime encore sans rougir, devra se pencher sur cette immense matière première qu'elle a tant négligée jusque aujourd'hui, l'étudier et la peser avec toute l'attention qu'exigent des faits nouveaux et l'incorporer courageusement à sa propre substance. Sans doute rectifiera-t-elle alors, si elle veut rester de bonne foi, quelques-uns de ses jugements les plus incertainement absolus ; tout au moins perdra-t-elle la singulière mauvaise habitude qu'elle a prise chez nous de subordonner la vie entière de la nation à des querelles stériles.

Car ce qu'il importe de connaître de l'existence laborieuse de nos pères, c'est — bien plus que l'agitation périodique et tout artificielle de quelques têtes tourmentées par le romantisme, bien plus que les continuelles lamentations des *trublions* désœuvrés et bavards, dont nous connaissons trop la voix larmoyante —, c'est, dis-je, leur vif amour du labeur quotidien, leur sens réaliste et profond de la continuité, de la pérennité, leur droiture, leur loyale conscience, leur mépris des coups d'épée dans l'eau et des gémissements inutiles et, pour revenir à l'objet de ces pages, leur goût bien français de « la belle ouvraige bian faitte ».

Chez eux, point de grandiloquence, ni de prétention, encore moins de sentimentalité.

En hommes sages et réfléchis, ils ne songent pas à édifier de grandes choses, ni à imiter les autres ; ils prennent conscience de leur talent, de leurs forces, de leurs limites, des matériaux dont ils disposent, des conditions économiques dans lesquelles ils vivent et, avec la logique paysanne qui est la leur, ils se contentent de bien faire de petites choses. — En hommes doués d'une saine humilité, ils ne se croient pas appelés à bouleverser les habitudes de leurs contemporains, ni à brouiller leur esprit par un art et une technique sans cesse renouvelés ; au contraire, chacun d'eux reçoit de ses devanciers un legs imposant de formes traditionnelles, il en conserve précieusement l'esprit, il le fait fructifier et le remet à ses successeurs en capital et intérêts, c'est-à-dire avec son loyal apport personnel. — Enfin, en hommes normalement équilibrés, ils ne pensent pas que la beauté, qu'elle vienne de la nature ou de l'artifice de l'homme, s'adresse uniquement aux sens ; héritiers directs du XVIIe siècle, ils voient dans l'œuvre d'art le complément véritable de leur vie spirituelle, le merveilleux embellissement de leur séjour terrestre. Bref, ils créent un art à leur juste mesure ; un art terrien toujours vivant, spontané, infiniment agréable.

L'église du Cap-Santé compte quelques œuvres caractéristiques de cet art essentiellement canadien, notamment en sculpture et en argenterie. En les faisant connaître par la plume et par l'image, j'ai l'espoir qu'on s'arrête parfois à les regarder longuement, avec une bienveillante curiosité ; qu'on essaie généreusement de les comprendre, en songeant à ce qu'il a fallu de labeur intelligent, d'ingéniosité sans cesse en éveil et de fine sensibilité pour en permettre l'éclosion ; qu'on les aime et conserve avec beaucoup de respect et de piété, comme les biens les plus précieux de l'héritage de nos pères.

C'est le plus bel hommage, et le plus légitime, qu'on puisse leur rendre.

Montréal, octobre — Québec, décembre 1943.

Notes

---

1. Le concept de Nouvelle-France élaboré par Morisset dépassait largement la période historique limitée par le Traité de Paris en 1763, pour s'étendre à l'occupation française sur le territoire du Québec jusqu'à l'aube du XXe siècle (voir Morisset, 1941.) En cela il rejoint l'idéologie véhiculée par les historiens de la fin du XIXe siècle, caractérisée par un retour sentimental à la Nouvelle-France. Retour qui suscita de nombreuses études et la constitution d'archives sur la période s'y rapportant. L'étude de l'orfèvrerie québécoise pour la période 1760-1840 nous a amenés à nuancer ce concept historique, tant au niveau de l'immigration et la formation des orfèvres, qu'au niveau de l'évolution des styles. Le nouveau régime colonial britannique a en effet amené un changement progressif des goûts, surtout à cause des importations de pièces d'orfèvrerie domestique venant de Grande-Bretagne, et par l'arrivée de nombreux orfèvres anglais, écossais ou américains. Par contre les traditions françaises se maintenaient, étant même renforcées par des contacts avec la France: arrivée d'artistes français tels Louis Dulongpré et Louis-Chrétien de Heer, ou voyages d'études en Europe tels ceux de Laurent Amiot, François Baillairgé ou François Beaucourt. Il va sans dire que le Blocus continental et les guerres napoléonniennes réduisirent ces relations. Par contre, les importations d'orfèvrerie religieuse française dans le deuxième quart du XIXe siècle eurent une grande influence sur des orfèvres comme Laurent Amiot et François Sasseville. Néanmoins, l'orfèvrerie domestique produite au Québec à cette époque était principalement d'inspiration britannique, et on retrouve plusieurs exemples de cette influence tant chez les orfèvres de Québec que de Montréal. Somme toute, l'orfèvrerie au

Québec entre 1760 et 1840 puise largement dans les traditions françaises et britanniques, tout en élaborant un idiome stylistique. Ces arts sont et demeurent des arts coloniaux dont l'originalité est de puiser à deux traditions métropolitaines fort différentes. À l'opposé de Morisset, on pourrait soutenir la thèse que l'orfèvrerie au Québec nous présente « une image assez ressemblante » à la fois de l'Angleterre et de la France. Cette hypothèse mériterait sans contredit une étude approfondie, et ce n'est ni le lieu ni la place ici. Terminons seulement en indiquant que l'étude des styles en orfèvrerie domestique et religieuse, ainsi que l'étude des migrations d'orfèvres nous apportera de nouvelles lumières à cet égard. R. D.

page 8

1. Il est tout de même assez étonnant que Morisset dénigre d'une part le progrès contemporain, et que, d'autre part, il loue les qualités de nouveauté, ou d'évolution stylistique, dans l'œuvre de Sasseville par exemple (voir p. 61), ce qui constitue sans contredit une forme de progrès. Souvent même, Morisset juge sévèrement certains artistes parce qu'ils répètent les formules stylistiques déclassées par le progrès des nouvelles écoles. R. D.

page 11

1. Dès 1627 la colonisation de la Nouvelle-France est sous la responsabilité de la Compagnie des Cent-Associés. C'est à Pierre Robinau que l'on doit les premiers établissements de colons français sur les bords de la rivière Portneuf (Sulte, 1883, p. 131). La seigneurie de Portneuf a été

concédée à Jacques Le Neuf de la Potherie (Caen, 1625-après 1685), le 16 avril 1647 (reproduction de l'acte de concession, Gatien, 1955, pp. 9-11). Sa dimension était de une lieue et demie de long sur le fleuve St-Laurent par trois lieues de profondeur. La seigneurie de Portneuf a été érigée en baronnie par Louis XIV en 1681 mais n'a été enregistrée par le Conseil Souverain qu'en avril 1683 (Roy, 1949, p. 235, note 27). C. B.

2. René Robinau de Bécancour (Paris, vers 1625-Québec, 1699) était le fils de Pierre Robinau. Il succéda à son beau-père Jacques Le Neuf de la Potherie, premier seigneur de Portneuf de 1647 à 1671, gouverneur des Trois-Rivières et gouverneur intérimaire de la Nouvelle France. René Robinau de Bécancour a été seigneur (1671), puis baron (1681) de Portneuf (fig. 55). Membre comme son père de la Compagnie des Cent-Associés il fut premier grand-voyer de la Nouvelle-France. Il s'intéressait principalement au commerce des fourrures et de l'eau-de-vie. Il fut le premier à habiter le manoir de Portneuf à partir de 1673 (DBC, I, pp. 588-589). Il fut inhumé dans la chapelle des Récollets à Québec (Roy, 1949, p. 237). C. B.

page 12

1. Érigée sous le vocable de la Nativité de Notre-Dame, cette chapelle domestique était desservie par les missionnaires Récollets entre 1679 et 1708. Dans sa préface, l'abbé Gatien décrit ainsi le manoir de Portneuf:

> Enfin lorsqu'en 1681 la Seigneurie de Port-neuf fut érigée en Baronnie par Louis quatorze, déjà l'établissement formé à Port-neuf consistoit en un Manoir Seigneurial décoré de toutes les marques de noblesse

et seigneurie, une belle chapelle où se célébroit le service divin tant pour le dit sieur René Robineau et sa famille, que pour les habitants déjà établis sur la dite Seigneurie; plusieurs autres bâtimens tant pour la commodité que pour les nécessités de la vie, toutes les dépendances en un mot d'un grand établissement, parc, jardins, bois, moulins, et quantité de terre en pleine valeur. (Gatien, 1955, p. 12.) C. B.

2. Deux versions existent au sujet du lieu d'origine de l'abbé Charles-Jean-Baptiste Rageot-Morin. D'après l'abbé Gatien il serait né à Paris (Gatien, 1955, p. 45). Arrivé à Québec en 1700 il aurait enseigné au Séminaire jusqu'en 1708. *Le Dictionnaire biographique du clergé canadien-français* le fait naître à Québec en 1676 (p. 461). Il a desservi la chapelle de Portneuf entre 1708 et 1709 avant de faire construire un presbytère sur un terrain acheté du sieur Louis Motard dit Lamothe en 1714 (AFCS, Acte de vente d'un terrain de 3½ arpents par Louis Motard, 15 octobre 1714). Il a été curé de Cap-Santé jusqu'en 1728. Il est mort à Montréal en 1729. C. B.

3. L'appellation de Cap-Santé demande quelques précisions: dans l'acte de vente du terrain pour le presbytère par Louis Motard en 1714, le curé Rageot-Morin est identifié comme le « curé de Cap-Santé » et le terrain situé « au dit lieu du Cap-Santé » (AFCS, Acte de vente d'un terrain de 3½ arpents par Louis Motard, 15 octobre 1714). Lorsque Mgr de Saint-Vallier (Jean-Baptiste de la Croix de Chevrières de Saint-Vallier, Grenoble, 1653-Québec, 1727, deuxième évêque de Québec) fait fixer les limites des paroisses de la colonie en 1721, l'église et la paroisse sont décrites par le nom de la seigneurie, le lieu-dit et le nom de l'église: Portneuf, dit le Cap-Santé (La Sainte-Famille)

(Gosselin, 1911, p. 353). Le nom de Cap-Santé apparaît pour la première fois dans les archives paroissiales (Journal, 1714-1812) dans une note signée par le grand-vicaire Deravenne en 1724. En 1936, Emile Vaillancourt apporte à l'étymologie de Cap-Santé l'interprétation suivante:

> Ce village appelé d'abord La Pointe du Cap-Santé semblait tirer son nom de son climat sain qui favorisait généralement ses habitants d'une santé robuste. (Vaillancourt, 1936, p. 20). C. B.

page 13

1. Le marché de construction (maçonnerie) de l'église est signé le 15 juin 1716 entre Jean-Baptiste Bouvier, maçon et Charles Jean-Baptiste Morin, curé (ANQ, Greffe du notaire Pierre Rivet, 15 juin 1716). L. N.

2. [reçu]
Item de Monseigneur l'Évêque de Québec tant en clous qu'en argent .... 600 #
(Journal, 1714-1812, p. 3).

   item de Monseigneur l'Évêque de St-Vallier .... 200 #
(Journal, 1714-1812, p. 5). C. B.

3. Jean Maillou (Québec, 1668 — Québec, 1753), maçon, entrepreneur, architecte du roi, commis du grand-voyer et arpenteur. Travaille à la construction des églises de Charlesbourg (1695), de Saint-Laurent de l'île d'Orléans (1702, 1708), de Saint-Étienne de Beaumont (1727), de Saint-Nicholas (1720) et au parachèvement de l'église Notre-Dame-des-Victoires à Québec (1723) (pour une biographie complète on pourra consulter Peter N. Moogk, *DBC*, III,

pp. 452-454; la liste des œuvres est présentée par Richardson, 1972, pp. 88-89). L. N.

page 14

1. Cette notion de plan-type a été discutée; il s'agirait plutôt du plan d'une des églises construites par Jean Maillou et non d'un plan ayant servi à plusieurs édifices (Bland, 1974, pp. 52-54; Noppen, printemps 1977, pp. 45-60 et Noppen, 1977, pp. 24-25). L. N.

2. Pierre Mayrand a attiré l'attention, en 1968, sur la similitude entre le clocher du plan Maillou et celui du plan gravé du collège de La Flèche, en France (Gowans, 1955, fig. 16). Il paraît évident que Jean Maillou a transposé le clocher de l'église du collège des Jésuites de La Flèche sur une petite église de sa conception (Mayrand, 1968). L. N.

3. L'église de Lachenaie (construite en 1724 et démolie en 1883) avait, tout comme celle du Cap-de-la-Madeleine, (construite de 1715 à 1720) une chapelle latérale, ce qui éloigne deux exemples du plan proposé par Maillou. Seules les églises de Beaumont (1727) (fig. 26), des Écureuils (1786 et démolie au début de notre siècle) et de Châteauguay (1774 et modifiée par la suite) sont des exemples qui illustrent la diffusion de ce type de plan à côté du *plan Jésuite* (église avec chapelles latérales) et du *plan Récollet* (église sans chapelles latérales mais avec un chœur plus étroit que la nef). L. N.

page 15

1. Cette reconstitution est basée sur une série de mentions

dans les livres de comptes, relatives à cette église. Pour compléter cette image il semble évident que Gérard Morisset s'est inspiré d'autres églises, encore existantes ou connues par des photographies anciennes (ex. église de Lachenaie et du Cap-de-la-Madeleine). À la lumière des connaissances que nous avons aujourd'hui sur l'architecture religieuse du début du XVIIIe siècle, la reconstitution hypothétique de Gérard Morisset devrait être corrigée comme suit: clocher à coupole au lieu du clocher avec flèche, portail principal plus sobre (celui qui est illustré est nettement du XIXe siècle) et plus grand, ce qui réduit l'échelle de l'édifice. L. N.

2. L'aquarelle de Sempronius Stretton (1781-1824) exécutée en 1806 et représentant la deuxième église de Cap-Santé, c'est-à-dire l'église actuelle, est titrée: *Les trois sœurs church at Cape-Santé* (fig. 7). C. B.

3. Le marché de construction (voir note 1 de la p. 13) indique plutôt des dimensions de 50 × 27 pieds. L. N.

page 16

1. Voir note 1 de la p. 13. L. N.

2. Le texte auquel se réfère Morisset se lit ainsi:

> L'on avait fait venir du cap-santé une pierre qui est encore sous le perron par où l'on va au jardin du séminaire pour graver son épitaphe [Mgr Henri Marie Dubreuil de Pont-briand, évêque de Québec]. C. B.

page 17

1. Ces trois références apparaissent au Journal, 1714-1812, p. 3. C. B.

2. Voir la mention du Journal, 1714-1812, p. 6 reproduite à l'annexe 2. C. B.

3. « Cette autre cloche ne fut achetée qu'en 1721. Elle coûta 92 francs, » (Gatien, 1955, p. 40). C. B.

page 18

1. Louis-Eustache Chartier de Lotbinière est né à Québec en 1688, il a été chanoine de la cathédrale de Québec, archidiacre et grand-vicaire de l'évêque de Québec de 1726 à sa mort en 1749. Le texte de son injonction se lit comme suit:

   > Nous Eustache Chartier de Lotbinière cons au Conseil supérieur de quebec archidiacre et grand vicaire de ce dioceze dans la visitte que nous avons fait dans l'église paroissiale de la Ste famille scize au Cap Santé Seigneurie de portneuf ayant examiné les registres de la ditte église ensembles les ordonnances sy devant rendues tant par nous que par Mrs les grands vicaires qui y sont venus et nayant trouvé aucun compte porté sur les régistres depuis l'année 1727, quoyque l'eussions cy devant ordonné, nous avons donné aud. marguilliers un an entier pour rendre les d. comptes par devant Mr de la coudray missionnaire dud. lieu et de retirer pendant led. tems tout ce qui peut être du à l'église, lequel délais d'un an nous accordons attendu que les paroissiens sont actuelle-

ment occupés à faire le presbitere, à condition que sitot que les d. comptes seront rendus, les deniers appartenant à la d. église seront employés à faire dans l'été de l'année prochaine 1735 les réparations nécessaires à lad. église qui sont de la renduire et la blanchir ensuit d'un lait de chaud et de faire ensuitte racommoder les ornements de lad. église, madons aud. Sr de La coudray de tenir la main alexecution de la presente ordonnance fait au Cap Santé ce 16 may 1734.

Il est signé par Duchouquet, secrétaire. (Journal, 1714-1812, p. 15). C. B.

2. Voir le Journal, 1731-1751, p. 86. C. B.

page 19

1. On fait ici référence à la première église des Écureuils et non à celle construite en 1786 dont nous avons conservé des photographies. Quant à la sacristie de l'église du Cap-Santé, réparée en 1748, il ne peut s'agir que d'une sacristie intérieure, aménagée dans le rond-point de l'église, à l'arrière de la cloison devant laquelle se dressait un retable (Noppen, 1977, pp. 20-27, 32-36). L. N.

2. Cette mention datée par Gérard Morisset du 28 avril 1748 est consignée dans le Journal, 1714-1812, p. 56, à la date du 28 avril 1746. C. B.

3. La fabrique possède alors d'autres pièces de mobilier. Le menuisier Jean-François Godin (Gaudin) (1700-1785) a reçu la somme de 6 livres en 1736 pour une crédence (Journal, 1731-1751, p. 29). La crédence est une petite table qui sert

à poser les vases et accessoires liturgiques. Il exécuta aussi trois lustres en 1739 (Journal, 1731-1751, p. 49). Le lustre canadien est dérivé du lustre Louis XIV en cuivre, Jean Palardy le décrit ainsi:

> Comme au Canada nous ne travaillons pas alors le cuivre, les sculpteurs les façonnèrent en bois du pays, en gardant les formes conventionnelles. La sculpture est ornée de pomme de pin et de feuilles d'acanthe. Les fils de fer sont courbés et ornés de boules au centre, et les bobèches sont encastrées aux extrémités pour porter les chandelles. Les lustres ont une, deux ou trois rangées de branches superposées et peuvent porter de huit à trente-six chandelles. (...) Tous étaient dorés à la feuille et quelques parties étaient peintes d'un vert très foncé. Certaines églises en comptaient entre dix et vingt. L'éclairage à la chandelle produisait une clarté très spéciale, où le jeu des ombres et des lumières semblait chanter et cet éclairage n'avait rien de comparable avec celui que l'on connait de nos jours. (Palardy, 1963, pp. 341-342).

Le Journal mentionne aussi le transport d'une chaire chez les religieuses en 1737, pour lequel il a été déboursé une somme de 7 livres 6 sols (Journal, 1731-1751, p. 40, voir texte de Morisset, p. 42). C. B.

page 20

---

1. Jean-Innocent Valin est né en 1691 et il est mort à Québec en 1759. Contemporain des Levasseur (Noël, François-Noël, Jean-Baptiste-Antoine) il semble cependant avoir travaillé seul. Compte tenu du peu de ressources de la fabrique de Cap-Santé, deux quêtes ont été organisées

pour le paiement du tabernacle en avril et en juin 1738 (Journal, 1731-1751, p. 42).

Le tabernacle a pu être peint et doré, à la manière du chandelier pascal plutôt qu'entièrement doré comme le mentionne Gérard Morisset. Les entrées au Journal, 1714-1812, totalisent des paiements de 499 livres 20 sols, faits à Jean Valin entre le 13 avril 1738 et le 20 avril 1740 (annexe 1). Le chandelier pascal (fig. 46) et le cadre d'autel ont été payés en argent et en blé. Jean Valin a commencé le tabernacle de Cap-Santé en 1783, 5 ans avant celui des Écureuils (1743). En comparant les motifs des chandeliers d'autel (fig. 47, 48) qui ont été conservés, avec les tabernacles des Écureuils et de la sacristie de Stoneham (Musée du Séminaire de Québec) décrits par Raymonde Gauthier, nous remarquons quelques ressemblances dans la qualité du travail et dans l'emploi des motifs décoratifs:

> Parlons de celui des Ecureuils d'abord (1743). De belles proportions, il y a deux prédelles ornées de rinceaux qui manquent un peu de mouvement. La custode est soulignée par une moulure dans laquelle s'insère un Christ portant sa croix. A l'étage de la monstrance, l'ordre sert à former trois édicules un peu à la manière du tabernacle de Sainte-Anne-de-Beaupré. L'édicule central constitue la monstrance dont la porte est ornée de deux anges adorant un ostensoir. Chacun des édicules est coiffé de volutes servant d'ailes à des chérubins. En guise de couronnement, ce tabernacle comporte une statue de Saint-Jean-Baptiste; deux reliquaires le flanquent. Cette pièce ne ressemble aucunement au premier style LeVasseur qui lui est contemporain. En 1742, l'atelier LeVasseur avait produit le tabernacle de Grondines.

page 20 (1. suite)

> Le second tabernacle que nous désirons décrire n'est pas daté. Il s'agit de celui qui a été retrouvé à Stoneham. Il a deux gradins, une custode ornée d'un ciboire découvert. Sa monstrance ne comporte pas d'armoire; il s'agit d'une simple tablette recouverte d'un dôme en hémicycle créé au-dessus de l'entablement. Cette œuvre dont nous ne possédons pas la date est beaucoup plus près du tabernacle de Rivière-Ouelle que nous décrirons plus tard, que des œuvres de la première moitié du XVIIIe siècle exécutées en Nouvelle-France. Les motifs des prédelles, des médaillons aveugles, effectuent un retour en arrière. On a vu ce type de motifs décoratifs à la fin du XVIIe siècle. (Gauthier, 1974, pp. 32, 88-89).

Ces œuvres reproduisent les mêmes enroulements de feuillage en rinceaux et utilisent la volute et le médaillon aveugle. Ces motifs se retrouvent aussi dans le travail des Levasseur. Il est intéressant de comparer le tabernacle du maître-autel de la chapelle des Ursulines de Québec, exécuté par les Levasseur avec celui de Stoneham. Les prédelles reproduisent des rinceaux très semblables entourant des médaillons circulaires. Le travail de Valin est beaucoup plus grossier que celui des Levasseur. Si les éléments décoratifs se ressemblent, la conception architecturale diffère. Dans l'église de St-Pierre de Montmagny les tabernacles latéraux de Jean Valin datant de 1740 ont été remplacés par des œuvres de David Ouellet vers 1877. Les tabernacles latéraux de St-Augustin de Portneuf, exécutés par Jean Valin en 1745 ont aussi été transformés à la fin du XIXe siècle. Il reçut des paiements de la fabrique de Saint-Michel de Bellechasse pour un tabernacle (1743-1747), pour deux petits autels (1757-1757) et pour un Christ (1744). À Saint Augustin de Portneuf il a exécuté en plus des tabernacles latéraux, un tabernacle pour le maître-autel (1733) un cadre et un lustre (1744), un chandelier pascal (1740), des chandeliers et un crucifix (1745). En plus du tabernacle qu'il a exécuté entre 1736 et 1743, Jean Valin a reçu des paiements pour des cadres de l'église Saint-Pierre de Montmagny. Le tabernacle de Sainte-Croix de Lotbinière lui a été payé entre 1751 et 1754.

La personnalité de Jean Valin reste à découvrir. Sa carrière est difficile à suivre: en 1727 il porte le titre de menuisier, en 1742 celui de maître-sculpteur et au recensement de 1744 il s'enregistre comme menuisier et cabaretier pour redevenir maître-sculpteur en 1752 et sculpteur en 1756. Nous savons par les mentions faites au *Journal* qu'il portait le titre de maître. Nous pouvons seulement supposer qu'il était maître-sculpteur. Aucun document ne prouve que Jean Valin ait été l'apprenti de l'un des Levasseur. L'ainé, Noël, avait 9 ans de moins que Jean Valin. Il est possible que ce dernier ait travaillé à l'atelier de menuiserie familial des Levasseur. C. B.

2. Comment Morisset en est-il arrivé à ce calcul? Ou est-ce seulement une tournure de phrase pour dire que la fabrique fait des paiements? D'autre part, Morisset ne donne pas de date, ce qui rend son texte confus et imprécis. R.D.

3. Lacoudray a été le second curé de Cap-Santé, en exercice de 1728 à 1742 (*Cap-Santé*, 1955, p. 48). R. D.

4. Voici l'extrait du Journal, 1731-1751, (p. 29): « Mars 1736 payé à Jean François Godin p^r^ une credance six livres cy 6 ». Il est à remarquer que le livre de comptes ne précise pas la profession de Godin, que Morisset mentionne dans sa note 12 sans citer de source. R. D.

---

5. Selon les mêmes livres de comptes (Journal, 1731-1751, p. 49), ceci se passe trois ans plus tard: « février 1739-18e payé à Jean François Godin p^{r} trois lustres douze francs cy 12 ». On ne précise pas les matériaux utilisés; Morisset les a donc extrapolés d'après des lustres qu'il connaissait être de la même époque. R. D.

6. La confusion de dates créée par Morisset depuis le début du paragraphe amène ici une imprécision qui laisse supposer que ce ciboire a été acquis par Lacoudray, alors qu'il a été acheté par le premier curé Rageot-Morin, en exercice de 1714 à 1728 (*Cap-Santé*, 1955, p. 57). R. D.

7. Huit ans après la publication de sa monographie du Cap-Santé, Morisset publiera un article entièrement consacré à Jacques Pagé: Morisset, novembre 1950. Il n'y est fait nulle mention de ce ciboire de Cap-Santé. Pour plus d'information sur cet orfèvre on consultera: Cauchon et Juneau, *DBC* III. R. D.

8. Extrait du livre de comptes 1714-1812: « Août 1718 — août 1719 [...] item pour la façon d'un ciboire 123# ». Un ciboire a donc été acquis entre août 1718 et août 1719, alors que Morisset précisait plus haut « Depuis 1718 » (ligne 13). On ne précise pas le matériau du ciboire, mais on peut déduire qu'il s'agit d'un ciboire en argent puisque en 1738 et 1739 le vicaire général Jean-Pierre de Miniac ordonne de « faire dorer le ciboire » (*Cap-Santé*, 1955, p. 53). En 1746, un ciboire est réparé par un orfèvre. En 1747, l'inventaire de la fabrique précise qu'on possède un « ciboire d'argent » (Journal, 1731-1751, p. 76). Comme on n'a relevé aucune autre mention d'achat de ciboire entre 1718 et 1747, on peut donc déduire qu'il s'agit du même objet.

D'autre part, le livre de comptes ne mentionne pas de nom d'orfèvre. Par contre on précise que le paiement a été fait « pour la façon ». Donc, on n'a pas acquis un ciboire qui existait déjà, ou un ciboire importé, mais on en a fait fabriquer un, présumément par un des orfèvres alors actifs en Nouvelle-France. Comment Morisset en est-il arrivé à affirmer aussi péremptoirement que ce ciboire avait été « façonné » par Jacques Pagé? Il répond lui-même à cette question dans son article sur Pagé (Morisset, novembre 1950, p. 592): « Notre orfèvre est doué d'une grande facilité manuelle et d'une certaine ingéniosité; il possède quelques biens au soleil et le talent de les faire fructifier; à son atelier d'orfèvre, il ajoute assez tôt une boutique d'horlogerie, qui devient d'autant plus prospère qu'elle est pendant longtemps *la seule du genre* [souligné par R. D.] dans la petite ville ». Par ailleurs, Morisset avait déjà publié (Morisset, 1941, p. 95): « le premier orfèvre [en Nouvelle-France] de qui nous possédons quelques ouvrages est Jacques Pagé ». De là à attribuer le ciboire de Cap-Santé à Pagé, il n'y a qu'un pas.

La réalité historique, infiniment plus complexe, nous montre comment Morisset a pu simplifier les faits de façon outrancière. En 1718 et 1719, vivaient à Montréal, Québec ou ailleurs, des artisans susceptibles d'avoir été en mesure de remplir cette commande (Derome, octobre 1974, p. 256). Les candidats les plus sérieux, autres que Jacques Pagé, sont Jacques Gadois dit Mauger, François Chambellan et Jean-François Landron.

Gadois est désigné comme orfèvre à Montréal dès 1719 et semble très actif dans cette profession à la période qui nous concerne. On conserve de lui deux encensoirs qu'il a fabriqués en 1729 pour l'église Notre-Dame de Montréal, en même temps qu'une croix et un Christ. Par la suite il s'est associé les orfèvres Michel Cotton vers 1736, et Ignace-François Delezenne de 1743 à 1748. Gadois aurait donc pu, tout aussi bien que Pagé, « façonner » le ciboire de Cap-Santé. Toutefois, étant donné la proximité de la ville de Québec, il était peut-être plus facile depuis Cap-Santé de faire affaire avec un orfèvre de Québec.

François Chambellan, né à Paris vers 1688, se marie à Québec en 1717. La même année il acquiert les outils de feu l'orfèvre Pierre Gauvreau. En 1718 il répare l'argenterie de l'église Notre-Dame de Québec et s'établit à Montréal l'année suivante. Vraisemblablement formé en France, Chambellan pouvait jouir d'un certain prestige auprès de la clientèle. Autour de lui gravitent plusieurs orfèvres avec qui il s'associe, ou qu'il engage comme apprentis. Chambellan a donc très bien pu « façonner » le premier ciboire de Cap-Santé.

De Jean-François Landron on conserve plusieurs pièces d'orfèvrerie religieuse. En 1718 il est à Québec, puis à Montréal en 1719 où il est mentionné comme orfèvre lors de son mariage. Deux ans plus tard il fabrique un boîtier aux saintes huiles pour l'église Notre-Dame de Québec.

Comme on le voit, ces quatre orfèvres étaient en mesure de fabriquer le ciboire de Cap-Santé, et aucune indication ne nous permet d'opter en faveur de l'un ou de l'autre. Un cinquième nom pourrait même leur être ajouté, celui de Jean-Baptiste Gobelin dit Saint-Marc. Témoin du mariage de Chambellan en 1717, il est « marchand orfèvre » à Montréal de 1719 à 1726. On doit cependant écarter le nom de Guillaume Chevreul dit Duval, orfèvre à Montréal en 1714, puisqu'en 1719 il est absent de la ville et qu'en 1725 il est réputé être décédé à la Nouvelle-Orléans. Restent les noms des armuriers René Fézeret, Jean-Baptiste Soullard, Guillaume Baudry dit Des Buttes et

Pierre Belleperche, qui à l'occasion réparèrent des pièces d'orfèvrerie ou furent mentionnés comme orfèvres. Déjà fort avancé en âge, il serait surprenant que Fézeret ait fabriqué ce ciboire à l'âge de 77 ans. Soullard avait pris Belleperche, comme apprenti en 1715 pour un terme de trois ans, promettant de lui enseigner son « métier d'arquebuzier et d'orfèvrerie ». Soullard est décédé à Québec en 1720, âgé de 43 ans. En ce qui concerne Belleperche, on ne possède aucune information sur sa carrière entre 1716 et 1727, date où on le retrouve à Détroit. Beau-frère de Soullard, Baudry est dit « orfèvre et bourgeois » de Trois-Rivières en 1712; on ne possède aucune information sur sa biographie entre cette date et son décès survenu en 1732 dans la même ville.

Pour récapituler, disons que cinq orfèvres ont de fortes chances d'avoir été l'auteur de ce ciboire: Pagé, Gadois, Chambellan, Landron et Gobelin. Il est historiquement possible que quatre autres puissent l'avoir été, quoique cette éventualité est beaucoup moins forte: Soullard, Baudry, Belleperche, Fézeret. Finalement, il serait fort surprenant que Chevreul ait pu en être l'auteur. De toute façon, on est ici très loin de l'affirmation gratuite et péremptoire de Morisset. (Toutes les informations sur ces orfèvres sont tirées de Derome, 1974). R. D.

9. La fabrication de pièces d'orfèvrerie à partir d'objets démodés, anciens ou brisés, était pratique courante en Nouvelle-France. Mis à part le numéraire en circulation dans la colonie, c'était la seule autre source d'approvisionnement en métaux précieux, argent et or. Cette façon de faire était fréquente (Trudel, 1974, pp. 41-42). Elle fut aussi utilisée au XIXe siècle, et les livres de comptes de Cap-Santé nous en fournissent deux exemples bien documentés: « 1822 [...] pour des burettes

page 20 (9. suite)

neuves avec le bassin le marguillier a donné pour la valeur de £5 en vieille argenterie, en sus des 96# en espèces », et, « Pour un encensoir neuf avec la navette, qui coûte £25. Le marguillier n'a déboursé que £19. Le reste se trouve payé par le vieil encensoir donné à Mr Amiot en payement... 456# » (Journal, 1811-41, [p. 32]). R. D.

10. « Pierre Robinau de Bécancour, deuxième baron de Portneuf, chevalier de Saint-Louis, seigneur de Bécancour, procureur du roi, grand-voyer de la Nouvelle-France de 1689 à 1729. Né à Québec en 1654, il était le fils aîné de René Robinau de Bécancour (Jean-Guy Pelletier: « Robinau de Bécancour, René », dans *DBC I*, pp. 588-589) et de Marie-Anne Leneuf de la Poterie. [...] Il mourut en 1729. » (C. J. Jaenen, « Robinau de Bécancour, Pierre », dans *DBC II*, pp. 603-605). R. D.

11. La source de Morisset est Gatien. Ce dernier, se réfère à « un écrit, en date du 9 mars 1715 », qui est fort probablement un testament ou une donation, faite alors que Robinau était « au lit, malade » précise Gatien. « Le même M. Robinau, par le même écrit, promet et donne après sa mort deux cuillères et deux fourchettes d'argent, qu'il veut être remises entre les mains de M. [Rageot-] Morin [premier curé de Cap-Santé de 1714 à 1728], pour en faire un ciboire. » (*Cap-Santé,* 1955, p. 39). Pierre Robineau est décédé en 1729 (cf. *supra*). Aurait-il procédé à cette donation plus tôt que prévu? Les livres de comptes précisent que le paiement pour le ciboire a été fait « pour la façon ». Lorsque l'orfèvre doit fournir lui-même le matériau, les comptes peuvent préciser ce détail. Dans ce cas-ci, on peut donc supposer que le matériau a été fourni sous forme de cuillères et fourchettes, et que l'orfèvre n'a été payé que pour la façon. R. D.

12. Étant donné l'imprécision créée par Morisset depuis le début du paragraphe à l'égard des dates où il situe les événements, il est très difficile de savoir à quelle date il songe lorsqu'il affirme que la paroisse n'a pas de calice. Rappelons que le calice est l'objet de culte le plus important de la célébration eucharistique. Sans lui, il n'y a pas de messe. C'est même le seul vase, avec la patène, pour lesquels « le droit canon prescrivait de ne se servir que d'or et d'argent » (*Trudel*, 1974, p. 19). Il est donc logique de penser que la fabrique a dû se doter d'un calice dès sa formation même avant d'avoir un ciboire. La première mention concernant le calice nous est fournie par Gatien (*Cap-Santé*, 1955, p. 51): « Autre visite de la paroisse en 1733, le 22 juin, par M. Jean-Pierre de Miniac, prêtre et vicaire-général [...] Ordre de faire réparer [...] le calice, fendu en deux endroits ». La paroisse possède donc un calice dès avant cette date, et probablement depuis un certain temps déjà puisqu'il s'est détérioré à l'usage. Il semble bien s'agir d'un calice complet, et non pas seulement d'un pied comme l'avance Morisset. Autre visite de Miniac, le 9 février 1738, où « Il est ordonné [...] de faire faire une nouvelle coupe au calice ». (*Cap-Santé*, 1955, p. 53). L'adjectif « nouvelle » nous permet de déduire que le calice possède bien une coupe, mais qu'on veut en faire faire une neuve. On peut donc déduire qu'en 1733 le calice était « fendu à deux endroits », sur la coupe. Autre visite de Miniac, le 26 juin 1739, au cours de laquelle il renouvelle « l'ordre au sujet du calice », (*Cap-Santé*, 1955, p. 54). Cette ordonnance fut finalement exécutée, tel qu'en fait foi l'inscription suivante: « 1739 [...] pr faire la coupe du calice et la dorer vingt six livres sept sols six d. cy 26 7 6 » (L. C., 1714-1812, p. 41). Le Journal de la fabrique rectifie et précise les dates exactes des paiements qui furent fractionnés en trois versements le 12 janvier et 10 mars 1740 (voir ci-après). Sans ces pré-

page 20 (12. suite)

cisions supplémentaires, nos connaissances auraient été passablement réduites. Ainsi il n'aurait pas été possible de deviner que la coupe avait été faite par un orfèvre et dorée par un autre. C'est là une des embûches constantes que présente l'interprétation des livres de comptes, où les mentions de paiement ne nous donnent que très rarement toutes les informations nécessaires à une interprétation claire et précise. R. D.

13. « Janvier 1740 — 12e — Livré p^{r} le calice dix livres dix sept sols six d. à Mtre St Paul cy 10″ 17′ 6 » (Journal, 1731-51 p. 54). Ce versement constitue probablement le numéraire qui servira de matériau à l'orfèvre. Mais cela était-il suffisant pour permettre à Lambert de faire une coupe neuve? N'est-il pas plus logique de penser que l'orfèvre a utilisé la vieille coupe brisée, et probablement mince et fragile, qu'il l'a fondue en lui ajoutant plus de matériau afin qu'elle soit dorénavant plus solide? R. D.

14. Ici Morisset se laisse aller à faire du roman historique. Au lieu de s'en tenir aux faits précis rapportés par les documents, il extrapole et crée une version fictive et romancée qui est très contestable. Sur quel document Morisset se base-t-il pour avancer que l'abbé Lacoudray a fait le voyage à Québec pour aller porter lui-même l'argent chez l'orfèvre? Vous et moi pourrions imaginer plusieurs autres versions toutes aussi plausibles: un marguillier s'est rendu à Québec; un ami de Paul Lambert allait en visite à Cap-Santé; le frère du curé Lacoudray allait régulièrement à Québec; Paul Lambert est venu lui-même à Cap-Santé... On pourrait ainsi multiplier les versions. Cependant aucune ne saurait rendre compte de ce qui s'est réellement passé. Ce que l'on peut dire se limite aux libellés des textes du Journal et des livres de comptes (voir ci-après). R. D.

15. Tous les auteurs s'entendent pour dire que Paul Lambert fut le plus éminent orfèvre de la première moitié du XVIIIe siècle. Mise en regard de ses contemporains, son œuvre est considérable. Morisset a consacré une monographie à cet orfèvre, qui fut publiée un an après celle du Cap-Santé (Morisset, 1945). Délaissant certains procédés du roman historique, Morisset s'est « résigné » à faire « un livre alourdi par un appareil d'érudition vraiment peu littéraire, même revêche. » (p. 6). Cette monographie est donc beaucoup plus « savante » que celle du Cap-Santé, où prime la vulgarisation et la qualité littéraire du récit.

    Pour de plus amples informations sur Paul Lambert on consultera également: Derome, 1974; Derome, 1975; Langdon, *DBC III;* Morisset, janvier 1950; Trudel, 1974. R. D.

16. Jacques Pagé dit Quercy (ou Carcy) est né à Québec le 11 décembre 1682. Son frère Joseph fut également orfèvre. Jacques Pagé est décédé à Québec le 3 mai 1742 (Derome, 1974). R. D.

17. Avec force détails, érudition et références aux documments originaux, Morisset se corrige lui-même l'année suivante dans sa monographie sur Paul Lambert (Morisset, 1945, p. 18):

    > « La famille Lambert est d'origine artésienne; et c'est probablement dans la ville d'Arras qu'est né notre orfèvre.[1] Est-ce en l'année 1691, comme l'affirme Tanguay sur la foi de l'acte d'inhumation de Paul Lambert[2]? Sans y contredire, je constate que le recensement de 1744[3] lui accorde quarante-et-un ans; il aurait donc vu le jour en 1703. La même dualité de dates se répète d'ailleurs à l'égard de sa

première femme: le recenseur de 1744, galant homme, lui donne l'âge de quarante ans, alors que Tanguay la fait naître en 1697. »

1. M. Ramsay Traquair (cf. *The Old Silver of Quebec*, p. 27) le fait naître à Québec. Inutile de dire qu'il n'existe à Notre-Dame aucun témoignage de cette affirmation.
2. État civil de Notre-Dame de Québec, 1748-1752, f° 102v.: « Le vingt six de novembre Mil Sept Cens quarante neuf a eté inhumé dans le Simetière de cette paroisse Le S^r^. paul Lambert dit St. paul orfeure decedé d'hier agé d'environ Cinquante huit ans muni des Sacremens de l'Eglise étoient presens Joseph Descarreaux Guillaume Taphorin et autres. Récher Ptre. »....
3. Cf. *Rapport de l'archiviste de la province de Québec*... Québec, 1940, p. 97.

Pour compléter ce dossier, voici un extrait du contrat de mariage entre Paul Lambert et Marie-Françoise Laberge en août 1729: « le sieur Paul Lambert fils du sieur Paul Lambert et Thérèse [Stuart?] de la ville darras en artois de la paroise s^te^ Catherine » (Derome, 1974, p. 93). R. D.

18. Le livre de comptes de Cap-Santé auquel se réfère Morisset ne mentionne pas le nom de l'orfèvre (Journal, 1714-1812, p. 55). Donc aucune indication ne permet d'affirmer qu'il s'agit de Paul Lambert. D'autant plus que trois orfèvres exercent alors leur profession à Montréal (Jacques Gadois, Roland Paradis et Ignace-François Delezenne), et sept à Québec (François Chambellan, Jean-François Landron, Michel Cotton, François Lefebvre, Paul Lambert, Jean Ferment, Joseph Maillou). (Derome, octobre 1974, p. 257). R. D.

page 21

1. Morisset fait ici référence à la technique du martelage qui permet d'aplatir au marteau une masse d'argent en une

feuille de métal d'épaisseur requise, à laquelle on donnera ensuite la forme voulue sur les bigornes de formes variées. Pour plus d'informations sur ces techniques et sur les outils voir Henry J. Kauffman, *The Colonial silversmith his techniques & his products*, Thomas Nelson, Camden, 1969; Luc Lanel: *L'orfèvrerie*, « Que sais-je? », P.U.F., Paris. 1964. R. D.

2. Aucune indication ne nous permet de préciser les dimensions de la coupe, à savoir si elle était petite, moyenne ou grosse. R. D.

3. Deux mois après avoir reçu 10# 17^{s} 6^{d} pour le calice, Lambert reçoit un nouveau versement: « mars 1740 — 10e — payé à Mtre St Paul pour façon de la couppe du calice six francs cy 6# » (Journal, 1731-1751, p. 56). Comme on le voit, cette mention ne concerne que la fabrication du calice, alors que la précédente concernait le matériau. R. D.

4. Pour plus d'informations sur cet orfèvre voir: Cauchon et Juneau, *DBC III;* Derome, 1974; Morisset, février 1950; Trudel, 1974. R. D.

5. « plus à Mtre Coton p^{r} dorer lad^{e} coupe neuf livres dix sols cy 9″ 10′ » (Journal, 1731-1751, p. 56). Ce renseignement est fort intéressant puisque Lambert a fait appel à Cotton pour dorer la coupe, démontrant ainsi une spécialisation des tâches. Il est à noter que le coût de la dorure équivaut presque à la valeur du matériau fourni à Lambert en janvier 1740, soit 10″ 17′ 6^{d}. R. D.

6. Il s'agit ici de ce que l'on appelle aussi un porte-dieu. Celui de Cap-Santé dont il est question à l'inventaire de 1747 n'a pas été retrouvé. Paul Lambert et Roland Para-

dis, actifs à cette époque, en ont fabriqué; on les conserve encore aujourd'hui (Trudel, 1974, p. 182 nº 113 et p. 214 nº 147). La fabrique de Cap-Santé a acquis des porte-dieu en 1834 et 1873, mais on ne sait pas en quels matériaux ils étaient fabriqués (voir annexe 3B, nºs 14 et 29). Se serait-on départi du vieux porte-dieu à cette occasion? R. D.

7. On appelait Soleil l'ostensoir à cause de sa forme imitant l'astre rayonnant propre au style Louis XIV. Deux ans après cet inventaire on a fait une quête « pour le soleil ». C'est probablement le même qui fut réparé en 1831 (annexe 3B nº 3). Un nouvel ostensoir en argent doré fabriqué à Paris fut acquis en 1843 (annexe 3A, nº 18). R. D.

8. Morisset saute ici plusieurs objets énumérés à l'inventaire dont nous retenons les suivants: « deux chandeliers petits de cuivre à la vieille mode et deux burettes vieilles » (Journal, 1731-1751, p. 76). Comme on peut le remarquer, cet inventaire commence par les objets les plus précieux, fabriqués en argent. Suivent les ornements sacerdotaux, puis les objets en matériaux divers. Les deux vieilles burettes mentionnées étaient vraisemblablement fabriquées d'un autre métal non précieux, ou en verre. R. D.

9. Morisset a trouvé plus tard l'acte de sépulture de l'orfèvre dans les registres d'état civil de Sainte-Famille, Ile d'Orléans, au mois de juin 1713 (voir Derome, 1974, p. 39). R. D.

10. Le titre inscrit en marge se lit comme suit: « inventaire des effets, linges ornements &c fait le 23 avril 1747 ». Ce que rapporte Morisset, est l'introduction inscrite dans

le livre de comptes avant l'énumération des objets (Journal, 1731-1751, p. 76). R. D.

page 22

1. Joseph Filion a été le quatrième curé de Cap-Santé de 1752 jusqu'à sa mort en 1795. Il aurait tracé, lui-même les plans de son église:

   > L'abbé Filion, le curé de 1755 qui avait tracé les plans de cette église avec un talent remarquable, avait dû la laisser inachevée parce que l'Angleterre venait de s'emparer de notre Canada. (Extrait d'un sermon prononcé par l'abbé J.-E. Houde en 1933, reproduit dans Gatien, 1955, p. 296). C. B.

2. On sait aujourd'hui que l'église de la Sainte-Famille, construite à partir de 1743 s'inspirait, tant par ses dimensions que par ses caractéristiques formelles, de l'église des Jésuites de Québec, construite à partir de 1666 et détruite en 1807. Comme à l'église des Jésuites, les deux tours de la façade de l'église de la Sainte-Famille servaient de tourelles d'escalier et non pas comme supports aux clochers: ceux-ci n'ont été construits qu'en 1807, en remplacement des toitures à « l'impériale » qui les recouvraient. L. N.

page 23

1. Il est bien plus vraisemblable que l'église du Cap-Santé ait pris comme modèle la cathédrale de Québec que venait de reconstruire (1743-1749), l'ingénieur du Roi, Gaspard Chaussegros de Lery et qui était, à toutes fins pratiques,

la grande nouveauté en matière d'architecture religieuse, alors que s'ouvre le chantier du Cap-Santé. L. N.

2. Journal, 1714-1812, p. 222. C. B.

3. Il est surnommé Criqui dans le Journal, 1714-1812. C. B.

4. « Ainsi l'on voit que de 1756 à 1763, il reçut en dons et présents trois mille cinq cent seize livres. » (Gatien, 1955, p. 67). C. B.

page 24

1. Le document original de ce contrat n'a pas été retracé, nous reproduisons le texte de l'abbé Gatien:

> Nous avons dit que, dès l'année 1755, la nouvelle église et la sacristie étaient commencées; en effet, on voit par un marché par écrit, du sept juin 1756, entre M. Fillion, curé de la paroisse, et M. Renaud, maçon, entrepreneur de l'église, que ce marché par écrit n'est que pour assurer et confirmer les conditions de ce qui n'avait d'abord été fait que verbalement entre le susdit M. Fillion et le susdit Renaud, au sujet de l'église commencée, et ce pour une plus grande sûreté tant d'une part que de l'autre, et pour éviter tout différent par la suite.
>
> Par ce marché, maître Renaud s'oblige à bâtir solidement l'église, et répond de la solidité, moyennant la somme de douze livres, la livre de vingt sols, la toise courante, c'est-à-dire mise dans son épaisseur, devant toiser le vide comme le plein, compris dans cette somme de douze livres les crépis et les enduits. Le dit

maître Renaud s'oblige de parachever ce bâtiment commencé, le plus tôt qu'il sera possible, suivant que les circonstances le requerront.

M. Fillion, de son côté, s'oblige à lui fournir sur les lieux tous les matériaux nécessaires, les manœuvres dont il aura besoin pour ne point perdre son temps; s'oblige à faire tous ses efforts pour que les travaux ne traînent pas en longueur, ce qui nuirait à la solidité des murs; enfin M. Fillion promet de faire achever la dite église dans l'année 1758, à moins d'en être empêché par quelques causes majeures; de payer l'ouvrier au fur à mesure que l'ouvrage avancera, et de faire le parfait paiement de tout l'ouvrage, l'année qui suivra son achèvement. (Gatien, 1955, p. 65). C.B.

2. Liste des entrées concernant la construction de l'église faites au Journal, 1714-1812 entre 1754 et 1767:

Mars 1753 à août 1754, p. 222
Pour la nourriture des ouvriers en Blé
quatre vingt li. 80
Pour leur nourriture en Lard, en œuf & autre chose
trois cens livres 300
Donné à Criqui quatre cents douze livres 412

Août 1754 à janvier 1756, p. 224
Donné à maître Renaud entrepreneur 1000
Donné à Criqui tailleur de pierre 624
Donné à Criqui 374
(Id) 150
Dépense pour la nourriture des ouvriers tant
en pain quen lard et autre chose 400
Donné aux porte oiseaux et autres manœuvres . 250
Donné à M.[tre] Renaud 200

1756 n. p.
Donné à Criqui cent vingt deux 122
Donné à m. tre Renaud huit cent l 800
Donné pour materaux, chaud, journées et autres choses nécessaires à la batisse 270
Donné à Maturin et à amel pour de la pierre de taille 175

1757 n. p.
Donné à maître Renaud 500
Donné pour matéraux 300
Donné pour manœuvres & autres & c 600
Donné pour la sacristie tant aux Maçons quaux menuisiers 325
Dépensé en nourriture pour la somme de 950

1758 n. p.
Donné pour du bois de charpente 72
Donné pour journées des manœuvres 300
Donné à maitre Bélisle charp 1100
Donné pour de la planche 300
Donné pour la nourriture 620

1759 n. p.
Donné aux menuisiers pour la couverture 950
Dépensé pour la nourriture des ouvriers 575
Donné pour du cloux à planché 157
Donné à montargi couvreur en bardeau 90

1760 n. p.
Donné aux Godins menuisiers cinq cent cinquante livres 550
Donné aux Godins menuisiers en blé pour cent cinq livres 105

1761-1762
(Dépenses totales pour la couverture les enduits etc.) 2913

1761-1764 n. p.
Donné aux maçons qui ont fini les tours 980
Donné pour la couverture des tours 165

1765 n. p.
Donné à M.[tre] Bélisle six cents livres 600

1766
Donné à Mtre bélisle charpentiers 472
Donné aux maçons qui ont fini les crepis et enduits et ravalements et autres ouvrages 550

1767 n. p.
Donné à maitre belisle pour parfait payement ... 278

C. B. à partir du relevé fait par Gérard Morisset et qui est conservé à l'Inventaire des biens culturels.

page 26

1. Morisset fait ici de la pure reconstitution historique romancée et fictive. R. D.

page 27

1. L'église de l'Islet, construite en 1768 n'avait qu'un seul clocher; la façade à deux tours date de l'agrandissement de 1830. L. N.

page 28

1. L'abbé François Féré Du Buron est né à Québec en 1727. Ordonné prêtre en 1750, il a été curé à Varennes de 1773 jusqu'à sa mort en 1801. Son portrait autrefois attribué à François Malépart de Beaucourt (1740-1794) est aujourd'hui réattribué à un artiste anonyme (Royal Ontario Museum). L'abbé Jacques Hingan est né en France en 1729, il est mort à L'Islet en 1779 où il était curé depuis 1767. Il desservait en même temps la paroisse de St-Jean-Port-Joli. Curé de St-Joseph-de-la Beauce de 1785 à 1817, l'abbé Antoine Lamothe, est né à Québec en 1759 et mort à Lachenaie en 1829. C. B.

2. On ne peut affirmer que l'église du Cap-Santé ait été le modèle de toutes ces églises. Chaque église fait plutôt référence à un modèle érigé en milieu urbain: Notre-Dame de Québec et Notre-Dame-de-Montréal (La Paroisse). L. N.

3. Il suffit de comparer l'église actuelle au dessin de Sempronius Stretton (fig. 7) réalisé en 1806, pour s'en convaincre. L. N.

4. Gérard Morisset n'aimait pas, disciple des théories nationalistes de Viollet-le-Duc qu'il était, les recouvrements de bois ou de métal qui, à ses yeux, soustraient les qualités expressives des matériaux à la vue. L. N.

page 30

1. Ces nombreuses réparations sont monnaie courante dans la plupart des paroisses. Les crépis ne sont autre chose

qu'un revêtement destiné à protéger la maçonnerie et il faut évidemment les refaire régulièrement. L. N.

2. Le recouvrement des églises par des lambris de bois (fig. 20) évite de reprendre les crépis régulièrement: il suffit de repeindre le bois ce qui, en soi, est une opération moins coûteuse. Mais l'usage des lambris posés horizontalement et imitant la pierre de taille remonte aux années 1830-1850 alors qu'on commençait à construire des façades en pierre de taille. Les anciennes façades sont donc mises au goût du jour de cette manière. Les restaurateurs modernes n'ont pas compris l'intérêt de ces ajouts: aujourd'hui l'église du Cap-Santé est un des rares édifices religieux ayant conservé la trace de cet usage largement répandu au début du XIXe siècle. L. N.

page 32

1. S'il est vrai que le clocher de Notre-Dame de Montréal, complété en 1777, a été le modèle de toute cette génération de clochers, il est fort peu probable que ceux érigés au Cap-Santé en 1807 aient servi de modèle, dans la région de Québec. En effet, la même année deux clochers semblables sont construits au-dessus des tours de l'église de la Sainte-Famille et, de façon générale, ces clochers sont utilisés depuis 1790-1800 dans la région de Québec. L. N.

page 33

1. Le nom des Levasseur n'est mentionné à aucun endroit dans les documents conservés à la fabrique de Cap-Santé, bien qu'ils aient été très actifs à cette période. Comme

ces ouvrages n'existent plus nous ne pouvons pas confirmer ou infirmer l'hypothèse de Gérard Morisset, ni même faire une étude comparative ou descriptive comme dans le cas des autres œuvres qu'il attribue aux Levasseur. Il existe pour l'année 1769 une autre mention de même nature que celle citée par Morisset:

> Payé à différents particuliers tant pour ce qui a rapport à l'autel que pour autres dettes concernant la bâtisse 1373# (Journal, 1714-1812). C. B.

page 34

1. Le tableau résumé des entrées aux Journaux (annexe 1) nous permet de préciser la nature des travaux faits aux petit et au grand autels entre 1768 et 1780. Prenons le cas du maître-autel. Un premier paiement a lieu en 1768 pour l'ouvrier et pour le matériel. La somme est assez élevée (1556 livres) cependant aucun nom d'ouvrier ou de sculpteur n'apparaît. La mention de 1768 concerne la nourriture de l'ouvrier pendant 2 mois pour « la position » de l'autel, l'achat de planches pour le sanctuaire, et de peinture pour l'autel (Journal, 1714-1812). L'autel existait-il déjà? Il s'agit peut-être de celui réparé par Jean-François Godin en 1750 (Journal, 1731-1751, p. 85). Le total du montant dépensé est élevé, nous ne pouvons pas dire quelle proportion s'applique aux travaux faits à l'autel. Deux autres entrées sont faites en 1768 et 1769 (voir note précédente). En 1772 et 1780 la fabrique fait dorer l'autel (Journal, 1714-1812).

   Les autels étaient démontables et transportables afin de pouvoir voyager jusqu'à Québec chez les Ursulines ou à l'Hôpital-Général pour y recevoir leur dorure. Nous n'avons cependant aucun indice pour nous aider à savoir où et par qui aurait été faite la dorure du maître-autel, nous savons seulement qu'elle a été appliquée en deux temps. Il semble que la seconde application de dorure ait été faite sur place, en même temps que l'élévation de l'autel. Dans le cas du petit autel le travail a été fait en 1775 et la dorure deux ans plus tard. Après les paiements pour l'ouvrier, pour le matériel et pour la dorure deux entrées se rapportent à l'élévation du grand autel; la première en 1776, l'autre en 1780 (annexe 2).

Parallèlement aux travaux effectués pour le maître-autel la fabrique fait des dépenses pour le petit autel en 1775 et pour sa dorure en 1777, pour la chaire et pour la peinture et la dorure des grandes portes en 1779 (Journal, 1714-1812).

Les autels en tombeau payés en 1784 seront remplacés par les tombeaux d'autel « à la romaine » de Louis Quévillon entre 1803 et 1807. C. B.

2. L'abbé Jean-Baptiste Dubord est né à Berthier-en-Bas en 1764, il est mort à Cap-Santé en 1814. Curé de Cap-Santé de 1795 à 1814 il a fait bâtir le presbytère en 1800. C. B.

page 35

1. Ce jugement catégorique est typique des classements lapidaires et incisifs que porte parfois Morisset sur les artistes et artisans de Montréal. Morisset est aussi péjoratif lorsqu'il compare l'orfèvre montréalais Pierre Huguet à Laurent Amiot. Ces jugements méritent d'être nuancés par une étude plus rigoureuse des œuvres elles-mêmes, ainsi que par une meilleure connaissance du contexte

social, historique et économique duquel elles sont issues. R. D.

2. Louis-Amable Quévillon (1749-1823) s'est formé par lui-même et à partir des traités d'architecture de Vignole (1507-1573). On lui attribue la renaissance de la sculpture et de la décoration religieuse sur bois au début du XIXe s. Son atelier et son style, appelé « quévillonnage », par l'abbé Jérôme Demers, ont eu un rayonnement important. Quévillon s'associa avec trois de ses anciens élèves: Joseph Pépin, René Saint-James et Paul Rollin. L'apogée de leurs activités se situe entre 1815 et 1817. Ce groupe fut très actif dans la région de Québec entre 1800 et 1820 et dans la région de Montréal jusque vers 1850. Quévillon reçut de la fabrique de Cap-Santé la somme totale de 6,332 livres 10 sols entre 1803 et 1809 (Journal, 1714-1812). Pour cette somme il exécuta un retable, la voûte du sanctuaire et probablement un tabernacle. Quévillon sculpta son premier retable en 1797-1798, à Berthierville, sa première œuvre d'importance a été le décor intérieur de Notre-Dame de Montréal en 1808. À la période où il travaillait à Cap-Santé, Quévillon sculptait aussi les tabernacles de l'église de Saint-François-Xavier à Verchères (1803-1808). Fidèle aux traditions de l'ancien régime et inspiré des ouvrages de Vignole, Quévillon exécutait des retables en arc-de-triomphe (Saint-François-Xavier de Verchères), ou isolés au fond d'un rond-point (Saint-Mathias de Rouville, Saint-Marc de Verchères) (Noppen, 1977, p. 46). En 1805 il reçut la somme de 705 livres (Journal, 1714-1812) pour faire la voûte du sanctuaire en soliveau et la peinture. Luc Noppen décrit le style de voûtes réalisées par Quévillon, sur le modèle de celle de l'église Notre-Dame de Montréal:

Il semble donc que ce soit la voûte de l'église Notre-

> Dame, conçue par le peintre Dulongpré, qui soit le prototype des œuvres semblables que l'on retrouve par la suite. Il s'agit essentiellement d'une fausse-voûte qui, à la croisée, est composée d'arêtes sur lesquelles sont sculptées des ogives très monumentales. Dans le sanctuaire, des ogives rayonnent à partir du centre du cul-de-four vers les murs de l'abside en hémicycle. De façon générale aussi, ce type de voûte est construit selon un profil très particulier: il s'agit en fait d'une forme en arc brisé mais aplatie au sommet et même légèrement incurvée vers le bas, comme si le maitre d'œuvre cherchait à imiter une voûte en dur, légèrement affaissée par son propre poids. Une telle voûte se retrouve notamment au Sault-au-Récollet et à la Pointe-aux-Trembles. Dans la plupart des cas, ces voûtes sont ornées de motifs à caissons, ou losanges. (Noppen, 1977, pp. 44-45).

Les livres de comptes ne mentionnent aucun paiement à Louis Quévillon pour un tombeau d'autel. Gérard Morisset date le tombeau de 1806, nous n'avons pas retracé la source de sa référence. En 1805, 372 livres sont déboursés pour le tabernacle, nous ne savons pas s'il s'agit de paiements faits à Louis Quévillon. Voici quelques définitions de ces pièces de mobilier liturgique: le tombeau d'autel remplacera l'ancienne table d'autel des débuts de la colonie. Il s'agit du meuble sur lequel le prêtre dit la messe. Le tabernacle est placé sur l'autel, il désigne l'emplacement où est rangé le ciboire et aussi l'assemblage architectural qui l'entoure. Il se divise en trois parties: les gradins, la monstrance et le couronnement. Le retable est la partie derrière l'autel, dans le fond du sanctuaire. L'abbé Gatien mentionne que l'autel carré, probablement celui de 1784 (Journal, 1714-1812), a été remplacé par un autel « à la romane » entre 1803 et 1807. Des débris de l'ancien autel carré on a fait faire deux grands prie-Dieu (Gatien, 1955, p. 101). Le style du tombeau du maître-autel de Cap-Santé (fig. 39) correspond au travail de Quévillon. Il a été le propagateur du tombeau « à la romaine » adapté d'un meuble domestique: la console galbée. La forme du tombeau est sobre et sans extravagance. Les motifs sont d'inspiration Louis XV. La guirlande de roses qui décore la partie supérieure perd cependant de son effet, les roses étant orientées vers le plancher plutôt que de face. Les extrémités sont ornées de têtes d'anges. Deux photographies anciennes, conservées aux ANQ (fig. 37, 38) montrent que le tombeau a déjà été marbré. C. B.

page 36

1. Entre 1815 et 1838 aucune entrée n'apparaît dans les registres concernant la décoration de l'église. C'est un an avant sa mort, survenue en 1844, que l'abbé Gatien commande les trois tabernacles à Louis-Xavier Leprohon (Montréal, 1795 — Ottawa, 1876). Le 1er novembre 1843, lors d'une assemblée des marguilliers, il est décidé unanimement que Leprohon se verra confier l'exécution d'un tabernacle selon les plans présentés (D. M., 1818-1858). Deux marguilliers sont nommés pour surveiller les travaux. Le prix inclut le tabernacle fini, doré dans les parties convenues et posé sur l'autel (fig. 33). Leprohon recevra 100 livres payables en trois versements. Les deux autres autels seront payés à part. Né à Montréal en 1756, Louis-Xavier Leprohon était fils de médecin. Le château de Ramezay conserve le portrait de sa mère, Marguerite Parent, peint par Louis Dulongpré (1789-1833). Il étudia la sculpture avec Urbain Brien, élève de Louis Quévillon. Il fréquenta Thomas Baillargé et travailla avec lui à l'occasion. Sa pièce majeure est la chaire de l'église Saint-

François de l'Île d'Orléans qu'il termina en 1840, un an avant de faire faillite (Morisset, juillet 1952). Son contrat à Cap-Santé date de 1843. Dès 1841, François-Xavier Hardy commence des travaux de menuiserie pour les autels neufs (Journal, 1841-1861, p. 4, annexe 1). Le tabernacle est une œuvre importante dans la décoration d'une église, c'est vers lui que convergent les regards des fidèles. Ses sculptures et sa décoration seront mises en relief par l'éclairage du chœur. Son exécution se doit d'être la plus parfaite possible. Le tabernacle de Leprohon à Cap-Santé est monumental et, bien que le tombeau ne soit pas du même artiste, comme cela est souvent le cas, il possède une assez grande unité. Il semble que le tabernacle ait été surhaussé, mais compte tenu de l'élévation du retable, ses proportions ont pu être calculées par le sculpteur pour en remplir l'espace. Il s'apparente aux œuvres de même nature de Thomas Baillargé dont il perpétue la tradition. Comme le mentionne Gérard Morisset, la décoration est sobre. Les motifs ornementaux se répètent symétriquement. Les deux premiers gradins sont décorés de panneaux rectangulaires ornés de gerbes de blé. Sur la porte du tabernacle une croix est flanquée de deux panneaux sur lesquels sont inscrits les monogrammes de la Vierge et du Christ. John Porter et Léopold Désy en donnent une interprétation intéressante:

> Enfin le monogramme de la Vierge est parfois associé au trigramme du Christ, c'est-à-dire aux lettres IHS pour *Iesus Hominum Salvator* (Jésus sauveur des hommes), dans le but de rappeler que depuis l'Annonciation la vie de Marie est intimement liée à celle du Christ. Nous avons vu comment l'Annonciation, coïncidant avec l'Incarnation, constituait le premier acte de l'œuvre de la Rédemption. Juxtaposer AM et IHS, c'est en quelque sorte résumer en cinq lettres l'his-

> toire du Salut. C'est une formule dont nos décorateurs d'église ont su tirer parti de plusieurs façons. On en trouve un bel exemple sur les panneaux qui encadrent la porte du tabernacle du maître-autel de l'église de Cap-Santé. (Porter, Désy, 1979, pp. 113-114).

Sur la porte de la monstrance, l'agneau du Saint-Sacrifice est immolé, dérogeant ainsi à la traditionnelle représentation du Bon Pasteur ré-introduite au XIXe siècle par les Baillargé. Les mots *Dominus Deus Sabaoth* (Seigneur, Dieu du Très-Haut) y sont sculptés au-dessous d'un nuage sur lequel se trouve le triangle de la Trinité. De part et d'autre de la monstrance deux colonnes corinthiennes rappellent l'ordre du tabernacle. Deux reliquaires ovales entourés de roses sculptées sont surmontés à l'étage du couronnement par deux corbeilles de fruits. L'étage de la monstrance se divise en quatre zones horizontales décorées de panneaux représentant des fleurs: roses, tulipes, tournesols de fruits: poires, cerises, et de panneaux à thèmes religieux sur lesquels sont représentés les tables de la loi, les instruments de la Passion, les clefs de la Rédemption et des accessoires liturgiques.

Un dôme, porportionnellement petit par rapport au tabernacle, surmonté d'un lanternon et d'une croix, termine l'ensemble. Deux autres lanternons, à droite et à gauche du dôme encadrent les corbeilles de fruits. Ce tabernacle réunit un juste équilibre dans l'utilisation de motifs d'inspiration religieuse et profane.

Une entrée est faite dans le Journal (1841-1861, p. 15, le 21 novembre 1843), au sujet de la dorure des tabernacles. La fabrique paie la pension des ouvriers qui sont venus dorer les tabernacles, ainsi que pour le menuisier qui y a travaillé.

Les paiements faits à Leprohon comprenaient la sculpture, la dorure, la peinture et l'installation des tabernacles. En 1865 et en 1866 deux autres entrées concernant la dorure des tabernacles, mais sans mention de lieu ou d'individu (R. C., 1812-1875). Il est possible, si l'on se réfère aux clauses du contrat (annexe 1) que Leprohon ait fait appliquer la dorure par un ouvrier. Le 18 août 1844, les marguilliers décident de donner un supplément d'argent à Leprohon pour le travail qu'il a fait en plus au tabernacle (D. M., 1818-1858 [p. 68]). C. B.

2. L'abbé Joseph-Philippe Lefrançois est né à Château-Richer en 1791. Il est mort à Lévis en 1864. Ordonné prêtre en 1817, il a été curé de Cap-Santé de 1844 à 1848. C. B.

3. L'abbé François Morin est né à Saint-Michel-de Bellechasse en 1806 et est mort à Québec en 1882. Curé de Cap-Santé entre 1848 et 1857 il fit bâtir en 1849 le presbytère qui existe encore aujourd'hui. Les plans de ce presbytère sont de Charles Baillargé (Journal, 1841-1861, p. 88, Gatien, 1955, pp. 214-219). C. B.

4. La paroisse de Cap-Santé a été démembrée en 1852 par l'agrandissement de la paroisse de Saint-Basile à laquelle ont été annexées les concessions de Sainte-Madeleine, Saint-Jacques, Terrebonne, Petit Saint-Carles, Saint-Paul, Saint-Eustache. L'annexion du Petit Bois de l'Ail à la paroisse de Saint-Basile fut mal reçue par les paroissiens du Petit Bois de L'ail qui préféraient demeurer rattachés à la paroisse de Cap-Santé. Un conflit entre les habitants et les autorités ecclésiastiques dura jusqu'en 1858 (Gatien, 1955, pp. 220-222). La paroisse de Notre-Dame de Portneuf a été érigée en 1861 et Sainte-Jeanne

de Neuville en 1867 (Gatien, 1955, pp. 242-252). Un an avant l'érection de la paroisse de Portneuf, la fabrique de Cap-Santé décide, lors d'une assemblée des marguilliers, de lui faire don de vieilles pièces de mobilier. Les pupitres, les prie-Dieu, la vieille chaire, remplacée par celle de Raphaël Giroux et de vieux ornements seront cédés à la nouvelle paroisse de Portneuf (D. M., 1858-1958, p. 43). C'était une pratique courante de faire ce genre de don à une paroisse naissante pour l'aider à son installation. C. B.

5. L'abbé Pierre-Léon Lahaye fut curé de Cap-Santé de 1857 à 1862. Né en 1820 à Lotbinière, il est mort à St-Jean Deschaillons en 1873. Le curé Lahaye aurait acheté du Chevalier Antoine-Sébastien Falardeau (1822-1889) (fig. 69) une *Assomption* d'après Guido Reni (Falardeau, 1936, p. 106). Il s'agit fort probablement de cette *Vierge* (fig. 70) qui est maintenant conservée dans une collection privée montréalaise. Le tableau de petites dimensions et de forme ovale est signé et daté 1859 au verso. Natif du Petit Bois de l'Ail, une concession qui faisait alors partie du Cap-Santé, Antoine-Sébastien Falardeau fut, semble-t-il, attiré très jeune par la peinture. Désertant la maison paternelle alors qu'il avait quatorze ans, il aurait reçu l'aide et les conseils de Théophile Hamel, Robert Todd et Guiseppe Fascio avant de partir pour l'Italie en 1846. La carrière de Falardeau se concentra autour de son activité de copiste. En 1851, il remporta un concours avec la copie du *Saint Jérôme* de Corrège, ce qui facilita son élection à l'Académie de Parme. Les visiteurs canadiens qui fréquentèrent chez Falardeau au moment de leur séjour en Italie contribuèrent grandement à la réputation de l'artiste au Canada, sans que l'on eût jamais véritablement l'occasion de juger de son talent. Complètement dénigrée,

la copie est maintenant en défaveur auprès du public. La compréhension de ce phénomène exige que l'on se replace dans un cercle d'amateurs, au goût conservateur, disposant de peu de revenus financiers, à une époque où la reproduction n'était pas encore un phénomène de masse. Falardeau possédait justement ce talent de restituer les qualités plastiques des œuvres de certains maîtres « auxquelles il ne manque même pas la patine du temps » (Morisset, 1941, p. 65). L. L.

page 37

1. Au sujet de Raphaël Giroux (fig. 38), voir Noppen, 1975. L. N.

2. Ce fait est significatif car il y a plusieurs analogies entre le décor intérieur de l'église Saint-Roch-de-Québec, exécuté d'après les plans de Raphaël Giroux, et celui de l'église du Cap-Santé, œuvre du même architecte. L. N.

3. À Lotbinière le décor intérieur commencé par Thomas Baillargé en 1824 sera continué par Léandre Parent et terminé par André Paquet en 1845. Reprenant les idées élaborées à l'église de St-Joachim à partir de 1816, Thomas Baillargé conçoit et élabore la décoration intérieure d'une église comme un ensemble dont l'exécution suivra un plan déterminé à l'avance. Le retable de l'église de Lotbinière est remarquable, Baillargé a développé l'utilisation de l'arc-de-triomphe en l'intégrant à l'architecture du sanctuaire. Ce type de décoration sera repris par ses élèves. (Morisset, 1953; Noppen, 1977, pp. 136-139; Noppen, 1979). C. B.

4. Le marché de construction pour le décor intérieur est signé le 23 novembre 1859 entre les marguilliers et Raphaël Giroux, maître sculpteur et François Blouin, maître plâtrier (*ANQ*, Greffe du notaire Bernard, no 1997, 23 novembre 1859, Marché). L. N.

page 38

1. La forme du retable, qui s'avance dans le chœur, s'explique par le modèle du retable de l'église de Saint-Augustin. À cet endroit la réutilisation du retable ancien (1746) dans l'église nouvelle, en 1822, avait nécessité de tels aménagements (avancée de la section centrale à cause de la hauteur et de l'inclinaison de la voûte du cul-de-four de l'abside) Raphaël Giroux connaissait cet intérieur de Saint-Augustin puisqu'il y sculpta en 1858 le tabernacle du maître-autel (fig. 31). (Madeleine Gobeil-Trudeau. *Les églises de Saint-Augustin*. Mémoire de maîtrise. Université Laval, 1980). L. N.

2. Né à Charlesbourg en 1815, Raphaël Giroux est mort à St-Casimir de Portneuf en 1869. D'abord élève de Thomas Baillairgé, Giroux devient sculpteur indépendant en 1847. Au début de sa carrière il est reconnu pour ses maquettes et ses modèles en bois. Il commença sa carrière d'architecte-sculpteur à Cap-Santé en 1859. Il exécuta aussi les décors de Saint-Pierre les Becquets, terminé en 1866, et Saint-Casimir en 1868. L'intérieur de l'église de Gentilly sera terminé par ses fils à sa mort survenue en 1869 (Noppen, 1975, pp. 101-127). Entre le 16 février 1860 et le 16 mars 1861 Raphaël Giroux a reçu de la fabrique de Cap-Santé un montant de 100 livres. Gérard Morisset ne signale pas qu'un montant identique avait été donné à

François Blouin entre le 9 juin et le 26 décembre 1860 pour des travaux de plâtre exécutés à partir des plans de Raphaël Giroux (Journal, 1841-1861, p. 284).

Le 5 décembre 1858 les marguilliers proposent de faire venir un architecte pour décider des travaux à faire dans l'église (D. M., 1858-1958). Le 20 novembre, Giroux et Blouin signent un contrat avec la fabrique (D. M., 1858-1958). Les travaux de décoration intérieure de l'église commencent en 1859. Le premier paiement concerne un acompte pour la chaire neuve (Journal, 1841-1861, annexe 1). Cette même année de nombreux paiements sont faits à Moïse Marcotte pour des travaux de menuiserie: un jubé, des châssis, 4 bancs neufs, 4 grilles, 4 prie-Dieu et une plate forme sur la voûte (annexe 1). Marcotte travaillera aussi avec David Ouellet en 1877. Le décor intérieur de l'église de Cap-Santé est fidèle à la tradition de Thomas Baillairgé. Ce sont dans les retables de Saint-Anselme (Dorchester) et de Saint-Augustin (Portneuf) qu'il faut chercher les modèles qui ont inspiré Raphaël Giroux pour Cap-Santé.

Le retable en arc-de-triomphe (fig. 92) s'avance vers la nef plutôt que de se déployer sur le mur du sanctuaire comme dans le retable de Lotbinière. Cette forme de retable surmonté d'un fronton en segment de cercle sera repris par Giroux dans l'église de Gentilly. Luc Noppen donne cette description du retable de Cap-Santé:

> Seule la forme du retable étonne. En effet, au lieu de suivre la courbe en rond-point il se replie vers la nef dans un mouvement baroque. Cette forme contribue au caractère monumental de ce décor et s'explique par la présence à Saint-Augustin d'un retable de ce type, réalisé précédemment par Louis-Thomas Berlinguet. Peut-être le retable de Québillon, érigé au

> Cap-Santé de 1803 à 1809, proposait-il déjà une telle forme? On ne le saura probablement jamais. (Noppen, 1977, p. 88).

Les dimensions imposantes de l'église se retrouvent dans l'élévation du retable. La perspective est rythmée par la succession des pilastres qui épousent la forme arrondie du sanctuaire derrière le retable. L'ornementation du retable comme celle de la voûte, de la chaire et du banc d'œuvre est fine, sobre et ordonnée créant ainsi un effet d'ensemble. Une moulure cerne l'église au dessus des fenêtres et divise l'espace des murs. La chaire (fig. 30, 31) construite sur un plan ovale est décorée, sur la cuve, d'une cartouche représentant les tables de la Loi. Les pans de l'escalier sont ornés de motifs géométriques. Derrière le prédicateur est sculptée la traditionnelle colombe. Une coquille stylisée se prolonge en guirlandes de feuilles au dessous de l'abat-voix qui est surmonté d'un baldaquin à volutes et terminé par une croix. Les pilastres et les chapiteaux de chaque côté sont identiques à ceux du sanctuaire et du banc d'œuvre.

Destiné aux marguilliers de l'œuvre le banc d'œuvre (fig. 35) fait face à la chaire. Il est surmonté d'un fronton semblable à celui du retable. Le décor se compose d'un médaillon ovale reproduisant le monogramme de la Vierge. Sa décoration se complète de palmes et d'une guirlande de roses surmontée d'une coquille. Un pot à feu termine le fronton.

Gérard Morisset (IBC, notes rédigées en septembre 1941, dossier Raphaël Giroux) décrit et compare les œuvres de Raphaël Giroux à Gentilly et à Cap-Santé:

> L'œuvre de Raphaël GIROUX à l'église des Becquets comprend la *sacristie* (1862), la *chaire*, le *banc d'œuvre* et le *maître-autel;* elle comprend peut-être d'autres

pièces sculptées, mais les livres de comptes de la fabrique contiennent des mentions trop vagues pour qu'on puisse l'affirmer.

La *chaire* ressemble beaucoup à celle du Cap-Santé; surtout la partie supérieure. Mais la cuve est beaucoup plus grosse, plus pansue; elle est aussi moins ornée. L'ensemble est gentil, plein de grâce. Les panneaux de l'escalier et du couloir sont ornés de motifs coulés en fonte.

Le *banc-d'œuvre*, lui aussi, ressemble à celui du Cap-Santé (qui est de Giroux, comme la chaire). Même style que la chaire, mêmes ornements. Mais la partie supérieure est plus solennelle. Le prie-Dieu est en noyer tendre; il est fort bien composé.

Le *maître-autel* doit dater de 1852. Il ressemble beaucoup à celui de Saint-Augustin (Portneuf) qui est aussi de Giroux. La composition en est excellente; le galbe en est joli, bien étudié. La sculpture ornementale n'a pas cette rondeur des sculpteurs du XVIIIe siècle; elle est un peu coupante, anguleuse, trop claire. Elle manque de charme. Les statuettes des niches ont du caractère.

En 1830 et en 1835 on a fait réparer et nettoyer le crucifix du banc d'œuvre (Journal, 1811-1840, [pp. 77, 106]). Cette mention signifie qu'un banc d'œuvre existait avant celui de Raphaël Giroux même si nous n'en avons pas retracé la référence. L'ancien banc d'œuvre a pu être réutilisé ou donné comme dans les cas du vieil autel carré ou de la chaire (voir note 2 de la p. 35 et note 4 de la p. 36).

Les ornements de la voûte, les corniches, les cartouches et les panneaux sur les murs ont été exécutés en plâtre par François Blouin.

Entre juillet et décembre 1861 Raphaël Giroux reçoit des paiements pour la dorure de l'église (Journal, 1841-1861, p. 306 annexe 1). Un « compte d'extra » sera fait la même année pour différents travaux dont, une armoire, relever les marches d'autel, réparer, imiter et vernir les portes du portail (Journal, 1841-1861, p. 310, annexe 1). Le 26 mars on le paie pour une petite charpente pour le reposoir (Journal, 1841-1861, p. 302, annexe 1).

En 1862 la fabrique règle différentes dettes concernant la décoration intérieure de l'église. Le 12 janvier, il est retourné au curé Lahaye l'argent qu'il avait versé pour les travaux de François Blouin. De même, le 18 mars la fabrique de Saint-Augustin est remboursée, avec intérêts, pour l'argent prêté afin de payer Raphaël Giroux (Journal, 1841-1861, p. 312, annexe 1). C. B.

3. L'abbé Joseph-Maximim Fortin est né à St-Jean-Port-Joli en 1829, il prend la cure de Cap-Santé à l'âge de 45 ans. Ordonné prêtre en 1853 il meurt à Cap-Santé en 1887. C. B.

4. Il s'agit des chapelles de Saint-Joseph et du Sacré-Cœur (fig. 53) installées en 1877 (Journal, 1864-1877, annexe 1). En décembre de la même année, le montant de la quête de l'enfant-Jésus est utilisé pour la décoration de la chapelle du Sacré-Cœur (D. M., 1866-1908, annexe 1). Architecte à Québec à la fin du XIXe siècle, David Ouellet (1844-1915) a décoré et remanié le décor de nombreuses églises. Les deux chapelles ont été installées dans des appentis au-dessous du jubé. Les tabernacles sont sommairement décorés, leur ornementation s'élabore autour des statues de saint Joseph et du Sacré-Cœur qui doivent être mises en valeur. La statue du Sacré-Cœur a été bénie par Mgr Turgeon le 7 juillet, 1878 (D. M., 1866-1908, [p. 43],

annexe 1). Ces chapelles sont conçues comme lieux de recueillement plutôt que comme autels de célébration.

> Ces deux chapelles, dont l'érection a coûté environ 600 piastres, sont entretenues avec soin par la générosité des fidèles, qui ne manquent jamais d'y faire une courte station, toutes les fois qu'ils franchissent le seuil de l'église. (Gatien, 1955, p. 262).

En 1896, David Ouellet exécuta une châsse pour un gisant en cire représentant s. Philomène (Journal, 1878-1902), qui avait été donné à la paroisse par l'abbé Gaudin (D. M., 1866-1908, [p. 153], annexe 1). Cette sculpture existe encore, elle est placée, derrière une vitre dans le tombeau de l'autel de sainte Anne. C. B.

5. Moïse Marcotte a travaillé à l'église de Cap-Santé dès 1837. Il y exécuta surtout des travaux de menuiserie. Avant que Raphaël Giroux et François Blouin commencent la décoration intérieure, il reçut des paiements pour la construction du jubé, des châssis, il fit de nouveaux bancs, des grilles, des prie-Dieu et une plate-forme sur la voûte (Journal 1841-1861, pp. 264-266, annexe 1). D'autres entrées sont faites à son profit entre 1878 et 1880 (Journal, 1878-1902, annexe 1), pour la chapelle du Sacré-Cœur. C. B.

page 41

1. Il est très difficile de définir clairement ce que Morisset veut signifier par son expression « plus riche ». Se refère-t-il à la quantité d'œuvres, à leurs qualités esthétiques, à leur ancienneté, à la variété ou à l'homogénéité de l'assemblage d'objets constitués par ce trésor, ou bien à la valeur monétaire de l'investissement initial ou de la valeur mar-

chande actuelle, ou bien se réfère-t-il à la signification sociale et historique que représentent ces objets au niveau local, régional et national, ce que l'on peut appeler « l'émotion patrimoniale »? Cette constatation nous amène à songer que le choix de paroisses fait par Morisset dans la phrase suivante est plus le fruit du hasard et de son impulsion du moment, que d'une réflexion approfondie pour établir une comparaison pertinente entre les trésors de diverses églises ou paroisses. Pour s'en convaincre on n'a qu'à visualiser la « Carte générale des paroisses et missions établies des deux côtés du fleuve Saint-Laurent » dessinée vers 1750 (voir Gowans, 1955, reproduite face à la p. 4), ou consulter la liste chronologique des paroisses du Québec par ordre d'ouverture des registres d'état civil (voir Richard Chabot, *Le curé de campagne et la contestation locale au Québec de 1791 aux troubles de 1837-38*, « Collection Histoire et Documents d'histoire, Les cahiers du Québec, n° 20 », Hurtubise HMH, Montréal, 1975, pp. 33-39). On verra alors que la comparaison proposée par Morisset nous amènerait à définir plus clairement les critères d'évaluation qui font la « richesse » d'un trésor, tout en nous obligeant à définir une méthode de comparaison à la fois diachronique et synchronique, où les informations demeurent difficilement comparables. Par exemple comment peut-on comparer les trésors de deux églises en 1750 lorsque plusieurs œuvres ont été fondues ou dispersées? La consultation des inventaires dressés par Morisset dans les années 1930 et 1940 nous procure également plusieurs frustrations, car depuis cette date les trésors des églises se sont appauvris à un rythme rapide: les objets vus par Morisset sont aujourd'hui détruits, disparus ou conservés par plusieurs musées ou collectionneurs privés. Quoiqu'il en soit, cette comparaison entre les trésors des différentes églises nous amènerait à étudier un grand nombre d'objets identiques car les objets de culte et de dévotion varient assez peu d'une paroisse à l'autre. On y retrouverait à la fois une grande variété et une profusion de variantes savoureuses, mais également de nombreuses répétitions et redites. C'est là une tâche énorme qui relève d'un service comme celui que dirigeait Morisset: l'Inventaire des Oeuvres d'Art du Québec. C'est à ce service qu'incombe la tâche de tenir à jour les inventaires, de les étudier, les publier et veiller à la préservation, la conservation et la mise en valeur de notre très riche patrimoine mobilier, malheureusement encore très mal servi par nos infrastructures gouvernementales, muséologiques et éducationnelles, qui depuis le décès de Morisset ont beaucoup plus investi dans le patrimoine bâti au détriment du patrimoine mobilier, pourtant plus fragile et mobile. À titre d'exemple pour illustrer ces propos, on lira l'article de Serge Joyal: « Le patrimoine mobilier du Québec, une hémorragie négligée » (*Le Devoir*, Montréal, jeudi 31 janvier 1980, p. 5). R. D.

2. Gérard Morisset a écrit sur quelques-unes de ces églises: *Les églises et le trésor de Lotbinière*, Québec, 1953, Collection Champlain.
« Les vases d'or de l'église de l'Îslet », *La Patrie*, 12 mars 1950, pp. 18, 42.
« Une église de style Louis XVI: Saint-Joachim », *La Patrie*, 2 septembre 1951, pp. 19, 33.
« Un deuxième centenaire: Saint-Charles de Bellechasse », *La Patrie*, 7 décembre 1952, pp. 36-37. C. B.

3. Et un nombre encore plus important d'objets du XIXe siècle. R. D.

4. J'aimerais bien que se fasse une étude économique des revenus et dépenses des paroisses en ce qui concerne les investissements en architecture par rapport à ceux en

patrimoine mobilier. Il serait intéressant de situer celles-ci par rapport au contexte socio-économique local, régional et national, afin de pouvoir évaluer comparativement l'effort économique collectif à cet égard, et l'effort économique des différentes classes sociales. Il serait également intéressant de comparer entre elles les différentes paroisses. R. D.

page 42

1. Un calcul sommaire des sommes dépensées pour la sculpture, la peinture et l'orfèvrerie durant la même période, 1775 à 1875, arrive à un total de près de 16,000#, soit trois fois moins que pour les réparations à l'édifice telles que calculées par Morisset à 50,000#. Il serait intéressant de situer ces dépenses par rapport au budget total de la paroisse et de comparer avec d'autres églises. R. D.

2. Le Journal de 1714-1812 contient de nombreuses entrées de paiements qui ont été faits entre 1772 et 1780 pour l'exécution, la dorure et l'installation du grand autel. Certains paiements portent la mention générale « pour autres dettes ». La sculpture de la *Vierge à l'enfant-Jésus* (fig. 43) a pu être exécutée à cette époque. Les sculptures étaient souvent commandées en même temps que les ensembles décoratifs auxquels elles pouvaient s'intégrer. Le dos plat de cette statue peut laisser supposer qu'elle était à l'origine placée sur un autel ou dans une niche. Les noms des ouvriers qui travaillent dans une église ainsi que les détails concernant les recettes et les dépenses quotidiennes d'une fabrique sont habituellement consignés dans ce que l'on appelle le *Journal*. Le Journal de la fabrique de Cap-Santé couvrant la période de 1751

à 1811 n'a pu être retracé. L'abbé Gatien dans son *Histoire du Cap-Santé* montre les nombreuses difficultés qu'il y avait à faire tenir avec régularité les comptes de la fabrique. Se peut-il que ce Journal n'ait jamais existé? Il nous aurait, peut-être permis d'attribuer la sculpture de la *Vierge à l'enfant-Jésus* ainsi que les trois statues de la façade (fig.41, 42, 42a). La madone de Cap-Santé est en bois, elle possède encore, sous des couches plus récentes, sa dorure originale. La dorure est importante pour l'apparence et la conservation de la sculpture. Les motifs décoratifs étaient parfois incrustés par le doreur dans les couches d'apprêt. En 1843, la fabrique paie 15 sols pour la dorure d'une statue de la Vierge (Journal 1841-1861, p. 15, annexe 1). Compte tenu du faible montant impliqué, il ne peut s'agir de la dorure de la statue de la Vierge de la façade qui est de grande dimension. Nous pouvons supposer qu'il est question d'une dorure nouvelle à la statue de la *Vierge à l'enfant*, ou d'une autre sculpture. Ne connaissant rien de plus sur l'origine de cette Vierge nous pouvons cependant la décrire et la comparer. Il s'agit d'une Vierge couronnée, elle porte l'enfant-Jésus du côté gauche et un sceptre (manquant) dans la main droite. Elle est enveloppée dans un manteau qui lui entoure la taille et dont les motifs sont presque effacés. La robe forme trois plis, bien marqués qui tombent entre les pieds. La jambe droite est légèrement fléchie. L'enfant Jésus est de face, il tient un globe terrestre surmonté d'une croix dans sa main droite. Sa chevelure est bouclée et son vêtement lui moule aussi le corps. Ses pieds sont à peine ébauchés. Les deux sculptures avec lesquelles nous voulons comparer la Vierge de Cap-Santé sont conservées au Musée du Québec. Elles furent acquises en 1967 (fig. 44) et 1977 (fig. 45).

Dans ces deux versions l'enfant-Jésus est porté du côté

droit, la Vierge avance un peu la jambe droite pour trouver l'équilibre. Les deux Vierges sont couronnées, leurs manteaux se rabattent avec le même mouvement et la robe forme les mêmes plis entre les pieds. Les deux enfants-Jésus sont légèrement de biais et tiennent chacun le globe terrestre. L'une des Vierge a conservé son sceptre. Les trois bases cependant diffèrent, l'une a conservé sa fonction de reliquaire (voir la description de Jean Trudel, 1969, p. 63). Malgré le traitement naïf dans l'attitude, la Vierge de Cap-Santé semble plus hautaine que les deux autres, elle esquisse un léger mouvement de la tête vers l'arrière. Certaines particularités dans le traitement anatomique sont intéressantes: le visage, malgré les traits effacés est épanoui, les mains sont traitées comme des gants. Ces comparaisons nous permettent d'attirer l'attention sur le phénomène du mimétisme dans la sculpture ancienne au Québec (Trudel, été 1969, pp. 29-31 et 62-63). Pour satisfaire les demandes du clergé et des paroissiens les sculpteurs québécois n'avaient pas d'autre solution que de répéter les modèles qui existaient déjà, ou recopier leurs propres œuvres. Les analogies que nous avons décelées entre ces trois sculptures ne nous permettent pas d'affirmer qu'elles sont de la même main mais, du moins qu'elles ont eu le même modèle. Cette madone ainsi que les deux chandeliers d'autel de Jean Valin qui étaient au manoir Mauvide-Genest à l'Île d'Orléans ont été retournés à l'église de Cap-Santé. C. B.

page 43

---

1. Un marché a été conclu avec Jean Valin en 1738 pour le tabernacle, le chandelier pascal (fig. 46) et pour un cadre d'autel. Valin recevra pour ce contrat la somme de 30

livres et 10 minots de blé (Journal, 1731-1751 p. 42, annexe 1). Ce type de chandelier était habituellement haut et volumineux. C'est une adaptation de la torchère utilisée au XVIIIe s. La base tripode est assez large pour permettre de supporter le poids du cierge pascal. Le chandelier de Jean Valin est peint et doré. Son pied est orné de volutes en contre courbe et de feuilles en rinceaux; entre les volutes, des médaillons entourés d'oves complètent la décoration de la base. La tige porte un renflement à mi-hauteur entouré d'un ruban à feston que l'on retrouve dans les chandeliers de Gilles Bolvin qui sont conservés au Château de Ramezay. Le travail de Bolvin est plus exubérant que celui de Valin. La base de ses chandeliers est ornée de coquilles dont une seule est terminée, les autres n'ont même pas été ébauchées. Les chandeliers de Bolvin laissent apparaître actuellement trois patines différentes. Sur un des chandeliers, le fini est peint en blanc et argenté, sur l'autre il est doré. Les motifs du chandelier pascal sont les mêmes que ceux des chandeliers d'autel à l'exception du ruban. Les travaux effectués par les Levasseur à l'église de St-François (Île d'Orléans) datent des années 1770-1773 (Noppen, 1977, p. 226). Le chandelier de Philippe Liébert (Nemours, 1732 — Montréal, 1804) est très différent de celui de Jean Valin, il a été exécuté 60 ans plus tard, soit en 1798. Il était conservé à l'église St-Martin (Île Jésus). De style Louis XIV il se divise en trois parties distinctes. Le pied imposant par rapport au reste est décoré de médaillons et de spirales. La partie centrale suggère un vase à long cou, la partie supérieure se termine en urne décorée de godrons avec deux anses ouvragées sur les côtés. Les comparaisons de Morisset au sujet des chandeliers nous montrent des pièces d'esprit différent qui ne correspondent pas au travail de Jean Valin. Bolvin et Liébert étaient des maîtres-sculpteurs, ce qui n'est pas le cas pour Jean Valin. C. B.

2. Se rapporter au tableau synoptique de l'annexe 1 pour consulter la liste des ouvrages commandés par l'abbé Filion. C. B.

page 44

1. La référence concernant la dorure des statues est consignée dans le Journal, 1714-1812 à l'année 1786 (annexe 1), la fabrique a dépensé 1000 livres pour la dorure. Les archives ne nous fournissent aucune autre information sur l'origine ou sur l'auteur de ces statues (fig. 41-42a). Même s'il est difficile d'avoir une vue d'ensemble de la production des Levasseur, une étude comparative des trois sculptures de la façade de l'église de Cap-Santé nous permet d'émettre l'opinion que ces œuvres peuvent être le résultat d'un travail de leur atelier plutôt que l'œuvre d'un seul sculpteur. Noël et Pierre-Noël Levasseur ont travaillé à des œuvres profanes dont des ouvrages de sculpture pour des navires. Il faudra attendre le résultat des recherches de Jean Belisle sur la sculpture navale pour comprendre les relations entre les deux types d'œuvre, religieuse et profane. L'on sait que Pierre-Noël Levasseur, entre autre, travailla pour des armateurs entre 1730 et 1745 (Morisset, 1952). Il sculpta des figures de proues. La sculpture de la Vierge possède des caractéristiques inhérentes à ce genre de production. Les figures de proues devaient se profiler sur l'avant du bateau, leur forme s'y moulait. Dans la sculpture de la Vierge les pieds sont très rapprochés, le bassin est large et se cambre vers l'arrière. Elle s'apparente par son allure générale à la forme des figures de proue. Ces caractéristiques apparaissent de

manière moins évidente dans la sculpture de Saint-Joseph. Les ouvriers du bois qui travaillaient au Québec étaient souvent des menuisiers ou des artisans avant d'être sculpteurs. Raymonde Gauthier le fait remarquer dans le cas des Levasseur:

> Les LeVasseur des deux premières générations furent maîtres-menuisiers. Ce n'est qu'à la troisième génération qu'apparaît le titre de sculpteur. (Gauthier, 1974, p. 26).

Le traitement dans les trois sculptures répond à des canons différents. La *Vierge* a un visage de forme ovale, avec des joues rondes, ses traits sont sereins. Sa chevelure est cachée dans une espèce de turban et ses vêtements tombent dans un drapé désordonné. Elle écarte les mains en gardant les coudes collés au corps. La sculpture de saint Joseph répond à une règle différente. Son visage est triangulaire et osseux, ses traits sont figés dans une expression dramatique. Son vêtement a été sculpté sommairement, les plis sont peu marqués. Un seul de ses bras est dégagé, son bras droit est replié sur la poitrine. L'enfant-Jésus a un visage ovale allongé. Le traitement de la chevelure et du vêtement est plus élaboré. Le drapé de sa tunique n'est pas collé sur le corps mais tombe librement. Ses bras sont totalement dégagés. Sa main droite est levée haut en signe de prédication. Si ces sculptures proviennent du même atelier, elles ne semblent pas être de la même main. Le format des niches correspond mieux aux dimensions des statues de la Vierge et de saint Joseph. La statue de l'enfant-Jésus a été surhaussée par la base pour remplir sa niche. Il est possible que cette sculpture ait été acquise plus tard que les autres, en remplacement de la sculpture d'origine. La fabrique paie une somme de 5 livres 5 sols aux Dames de l'Hôpital-

Général en mai 1848 pour une statue de l'enfant-Jésus (Journal, 1841-1861, p. 72; R. C., 1812-1875, année 1848; annexe 1). C'est une somme assez élevée ce qui pourrait signifier qu'il s'agit de dorure. Il n'est cependant pas évident qu'il s'agisse de la sculpture de la façade. En effet, il est fort probable que ce soit une statue de cire, les religieuses de l'Hôpital-Général en ont fait pour les paroisses à cette période (communication de John R. Porter, 15 mai 1980). Lors d'une visite épiscopale de Mgr Archer, en 1852, il est recommandé aux marguilliers de faire recrépir ou boiser les niches des statues de la façade (R. C., 1812-1875, 24 juin 1852, annexe 1). Pour reprendre les comparaisons de Gérard Morisset, la paroisse de Batiscan possède deux statuettes de François-Noël Levasseur représentant deux anges adorateurs et datant de 1741, ces œuvres peuvent être comparées à la sculpture de l'enfant-Jésus: le drapé des tuniques et le traitement des mains est similaire, tout comme dans deux autres statuettes provenant du même tabernacle réalisées par son frère, Jean-Baptiste-Antoine. Les sculptures du retable du maître-autel de l'église Saint-Sulpice proviendraient de la première église, construite en 1706. Elles sont attribuées à François-Noël Levasseur et représentent deux anges debout. Elles sont polychromes. Une photographie ancienne de la façade de l'église, prise entre 1877 et 1909, nous apprend que les sculptures de la façade ont déjà été peintes, ce qui a pu être confirmé en 1979, lors d'un examen des œuvres (communication de Raynald Hardy). Les deux sculptures de l'église de Saint-Pierre de Montmagny sont maintenant conservées au Musée du Québec. Elles sont aussi de François-Noël Levasseur. Elles auraient été sculptées vers 1775, date à laquelle Gérard Morisset suppose que les statues de Cap-Santé auraient été installées dans leurs niches. Il y a quelques ressemblances entre le *saint Pierre* et le *saint Paul* provenant de Montmagny et le *saint Joseph* de Cap-Santé surtout dans les expressions tourmentées des visages. La position des mains reprend les mêmes gestes avec la main droite repliée sur la poitrine. Le maître-autel de l'Hôpital-Général de Québec à été exécuté par Noël Levasseur probablement aidé par François-Noël. À la suite d'une description de ce retable, Jean Trudel fait la réflexion suivante, au sujet des 13 statuettes qui le décorent:

> Les huit niches des ailes et les cinq niches du dôme renferment des statuettes qui restent encore aujourd'hui une énigme: elles n'ont pas toutes été faites par le même sculpteur. Il semble bien qu'on ait confié 13 statuettes du dôme à un sculpteur et les ailes à un autre. L'un deux pourrait être Noël Levasseur, sans qu'on sache lesquelles lui attribuer, faute d'étude suffisante des styles et de documentation. (Trudel, *DBC*, *II*, pp. 448-449).

Là encore le problème d'identification se pose comme dans de nombreux cas dans la statuaire ancienne au Québec.

Luc Noppen émet l'opinion suivante au sujet des trois statues de la façade à Cap-Santé:

> Il semble assez invraisemblable que ces œuvres aient pu résister pendant deux siècles. Il est probable que ce soient des œuvres de la fin du XIXe siècle. (Noppen, 1977, p. 90).

L'exemple des sculptures extérieures de l'église de la Ste-Famille à l'Île d'Orléans montre qu'elles ont été remplacées plusieurs fois, rien ne prouve que cela fut le cas à Cap-Santé. Si elles avaient été remplacées au XIXe siècle nous en aurions fort probablement retrouvé la mention dans les archives de la paroisse. C. B.

page 45

---

1. L'église de Cap-Santé possédait un harmonium depuis 1852 (R. C., 1812-1875, annexe 1). Une somme de $10.50 fut dépensée en 1879 pour sa réparation (Journal, 1879-1902, annexe 1). Les marguilliers prirent la décision d'acquérir une orgue le 9 décembre 1879 (D. M., 1866-1908). Tous les paroissiens n'étaient pas d'accord pour cette acquisition qui souleva une controverse. L'orgue a été acquis grâce à l'aide du notaire de Saint-Georges (fig. 39).

   > M. le notaire de Saint-Georges a été l'instigateur du mouvement, et n'a reculé devant aucun sacrifice pour le mener à bonne fin. Non content de cela, il s'engagea à remplir gratis les fonctions d'organiste, — et ce service était d'autant plus appréciable qu'il était musicien expert, et qu'il aurait fait un excellent maître de chapelle dans n'importe quelle église de ville (Gatien, 1955, p. 275).

   L'inauguration de l'orgue eut lieu le 29 juillet 1880. Il a été confectionné par Napoléon Déry, facteur d'orgue de Québec (Morisset, 1922, p. 2) qui reçut plusieurs paiements en 1880. Les livres de comptes signalent plusieurs réparations faites à l'orgue à la fin du siècle dernier (1881, 1884, 1888). C. B.

2. Gérard Morisset omet de mentionner dans cette section consacrée à la sculpture, les œuvres de deux sculpteurs qui ont continué la tradition de la sculpture sur bois au Québec à la fin du XIXe sicle: J.-B. Côté et Louis Jobin.

   Le nom de Jean-Baptiste Côté (1834-1907) est mentionné à la planche X de l'édition originale lorsque Morisset indique qu'il a sculpté les deux panneaux en forme de tenture pour les autels latéraux de l'église de Cap-Santé. (fig. 52).

Il date ces œuvres en 1886. Nous n'en avons pas retrouvé la mention. Jean-Baptiste Côté est un contemporain de Louis Jobin, et étudia aussi avec François-Xavier Berlinguet. Il exécuta au début de sa carrière des effigies pour des navires. Il fit aussi des caricatures religieuses. Les deux panneaux de Cap-Santé sont maintenant peints et dorés. Ils ont la forme de rideaux tombant sur l'autel. Ils sont décorés de symboles de l'Eucharistie: à gauche, de grappes de raisins, de gerbes de blé, une urne, un plat, de petites et grandes cruches. Le panneau de droite sur l'autel de Marie, est orné des tables de la Loi, d'un serpent, d'un sceptre, d'un missel, d'un ciboire et de raisins.

Le sculpteur Louis Jobin (1845-1928) fut d'abord apprenti de Berlinguet puis il étudia chez Bolton à New York où il travailla aussi le marbre. Il ouvrit une boutique à Montréal de 1870 à 1875. Il s'installa plus tard à Ste-Anne de Beaupré. Jobin est surtout connu pour ses sculptures religieuses sur bois. Son œuvre est le prolongement de la tradition artisanale des statuaires québécois. Jobin a été payé $75.00 en 1889 pour une croix de cimetière avec un Christ doré (D. M., 1866-1902, p. 128 et Journal, 1878-1902). Cette croix n'existe plus. Cependant deux sculptures de Louis Jobin sont conservées à l'église de Cap-Santé: l'une datée de 1877 représente l'*Éducation de la Vierge* (fig. 50), l'autre est un *Sacré-Cœur* (fig. 51), signée et datée 1889. Ces sculptures ont été données à la fabrique. C. B.

3. La date de 1718 n'apparaît pas aussi clairement au Journal, 1714-1812, où les dépenses du mois d'août 1716 au mois d'août 1718 sont regroupées. Morisset s'appuie sur le

témoignage de l'abbé Gatien. On trouvera les références et les citations concernant la peinture à l'église de Cap-Santé à l'annexe 2. L. L.

4. Nous proposons de reconnaître dans l'œuvre représentant l'*Enfant-Jésus avec la Vierge et Joseph, Anne et Joachim Dieu le Père et le Saint-Esprit* (fig. 56) le tableau intitulé la *Sainte Famille*. Le thème est celui de la sainte famille élargie, ou d'une Sacrée conversation à laquelle l'on a ajouté la Trinité. Le sujet, la facture du tableau et l'iconographie invitent à le dater de cette période, moment où une société pieuse était fondée qui était consacrée à la s. Famille (1664-1666). La paroisse elle-même reçoit ce patronyme (p. 12).

L'importance de l'œuvre vient de ce que l'on peut la rattacher à un autre tableau essentiel dans l'iconographie missionnaire en Nouvelle-France (Gagnon, 1975, pp. 108-110), *La France apportant la foi aux Indiens du Canada*, conservée au Monastère des Ursulines de Québec (fig. 57). En effet, le tableau que présente la figure allégorique de la France reproduit le même sujet (fig. 58), les personnages placés dans le même ordre reprennent ce double axe vertical (spirituel) pour la Trinité et horizontal (terrestre) pour la sainte Famille élargie. Le décor et la disposition des personnages sont cependant différents. Ce thème iconographique a connu sa diffusion dans le milieu jésuite comme en fait preuve la gravure de A. Clouet (1636-1679) qui associe à cette céleste assemblée s. Ignace de Loyola et s. François-Xavier (fig. 59). La présence de ce tableau à Cap-Santé tout comme l'œuvre de Frontier (1749) conservé à l'église d'Oka ajoutent des preuves supplémentaires au dossier de fréquence de la circulation de cette iconographie en Nouvelle-France.

L'œuvre a pu être examinée au laboratoire du Musée des beaux-arts et présente de nombreux repeints qui ne facilitent pas la recherche d'une attribution. Le tableau des Ursulines pour sa part avait été attribué au Frère Luc par Gérard Morisset, attribution fréquemment reprise après lui. La conjoncture de la recherche actuelle ne nous permet pas d'attribuer ou de dater avec certitude l'œuvre de Québec, mais il est fort possible qu'elle soit une commande jésuite.

Un problème supplémentaire se pose par rapport à la localisation de ce tableau dans l'église. Gatien (1830, p. 15) situe ce tableau au-dessus du banc des marguilliers. L'abbé Gosselin lorsqu'il publie le texte de Gatien en 1899 remarque: « Il n'y a plus aujourd'hui de tableau au-dessus du banc des marguilliers » (note 2, page 40). Le tableau aurait-il été remisé? Morisset (p. 45) pour sa part n'avait pas remarqué l'œuvre, ce qui est assez surprenant étant donné son format. Au moment de nos premières visites à Cap-Santé en 1979, la toile était placée au-dessus du confessionnal droit qui se trouve à l'arrière de la nef. L. L.

5. La date d'acquisition de ces deux tableaux n'apparaît pas au Journal, 1714-1812, ni à celui de 1731 à 1751. La première mention qui en est faite serait dans cet Inventaire de 1747, (Journal, 1731-1751, p. 76), mais que nous reproduisons en annexe 2. L. L.

6. La signature et la date de l'œuvre (1746) ne sont pas visibles sur le tableau de la *Vierge à l'enfant* (fig. 60). L'examen de laboratoire ne révèle aucune trace sur cette œuvre qui est encore sur son châssis d'origine et relativement en bon état. Si une signature et une date exis-

taient, ce dont nous doutons fort, elles auraient été sur le tableau *Saint Joseph et l'enfant-Jésus*. L. L.

page 46

1. Cette *Vierge à l'enfant* se caractérise par son côté maternel, comme le signale Morisset dans sa description (p. 46). Le berceau occupe le premier plan et l'enfant tourne le dos au spectateur accentuant l'interrelation des deux personnages. Marie ne le présente pas aux fidèles, c'est l'enfant lui-même qui tourne la tête de façon à ce qu'il puisse être vu et il tient une rose, symbole de cette union amoureuse. Contrairement à Morisset, nous observons que le paysage est discret, caractérisant par son rapport à la scène principale le côté maniériste de l'œuvre, mais il n'est pas effacé au contraire de la signature et de la date. L. L.

2. Alors que le tableau de la *Vierge à l'enfant* se trouve toujours au presbytère de Cap-Santé, l'œuvre que Morisset considère son pendant, *Saint Joseph et l'enfant-Jésus*, a disparu. Notre hésitation à les considérer comme pendant vient du fait qu'en 1825, l'on commande un cadre ovale (« rond ») pour un tableau de *Saint Joseph* se trouvant alors à la sacristie. Peut-être s'agissait-il d'un autre tableau, bien qu'aucune mention ne révèle la présence ou l'achat d'une toile représentant saint Joseph.

   Dans ce texte Morisset reprend la description qu'il avait donnée dans *L'Événement* du 5 décembre 1934 (« Paul Malepart de Beaucours ») alors que l'abbé Napoléon Pouliot lui avait signalé les œuvres. Il portait alors un jugement très sévère sur ces tableaux qui:

   > sont d'un métier indigent et timide. Si les personnages ne sont pas trop mal campés, c'est que Beau-

cours a démarqué scrupuleusement quelques gravures de l'École de Venise, si la touche est un peu libre dans les draperies, par contre, elle est lisse dans le modèle des figures, trop léchée dans les accessoires. La couleur est lourde, opaque, dépourvue de toute finesse.

Il fait alors une comparaison du tableau avec les œuvres de l'école canadienne telles qu'influencées par l'École des arts et métiers de Saint-Joachim. La peinture de l'époque est jugée en fonction de son caractère « rude et naïf », la beauté est basée sur des vertus morales de « sincérité » et « d'absence de prétention ». L. L.

3. L'abbé Philippe Jean-Louis Desjardins (Messas, 1753 — Paris, 1833) rentra à Paris, après un séjour de 10 ans à Québec, en 1803. Il avait alors mission d'acheter quelques tableaux dont certains destinés à l'église de la paroisse Sainte-Famille de Boucherville (Archives de l'archevêché de Québec, lettre de Philippe Desjardins à Mgr Denaut, 16 décembre 1803). L'abbé Desjardins se porta acquéreur entre autre, d'un tableau de la *Sainte Famille* du peintre Dusaultchoy, alors âgé de 24 ans. En raison des événements politiques qui secouaient la France, le tableau n'arriva à Québec qu'en mars 1817, moment où il fut mis en vente à l'Hôtel-Dieu. Figurant au nº 90 de l'inventaire Desjardins (Archives des Ursulines de Québec, fonds Desjardins), avec les dimensions de 10′ 10″ par 8′, l'œuvre fut achetée la même année par la fabrique de Cap-Santé. Alors que l'abbé Philippe Desjardins considérait le tableau de peu de valeur, soit à cause de sa qualité picturale soit à cause de son état de conservation, il l'évalua lapidairement « nothing » (Bibliothèque Saint-Sulpice de Paris, fonds Desjardins, lettre de Philippe Desjardins à Louis-Joseph Desjardins, 19 juin 1815); son frère, l'abbé Louis-Joseph Desjardins réussit quand même à en tirer 25£.

« J'ai enfin vendu ton Énorme & Gigantesque Ste-famille N° 90, au Cap Sante £ 25 », écrit-il à Philippe Desjardins le 1er janvier 1818 (Bibliothèque Saint-Sulpice, Paris, fonds Desjardins). Morisset avait déjà publié ce tableau en 1935 (voir bibliographie). L. L.

4. Charles Dusaultchoy est principalement connu par son œuvre gravé conservé au Cabinet des Estampes de la Bibliothèque nationale de Paris (Dc 112 a) qui consiste principalement en des portraits (généraux espagnols, patriotes grecs), des paysages (Bretagne), et des scènes de la vie politique et militaire *(Prise des Tuileries, Embarquement de Charles X).* L. L.

page 47

1. L'original de la citation de l'abbé Gatien est reproduit dans l'annexe 2. Cette allégation, que le tableau aurait servi d'enveloppe aux autres œuvres, ne trouve cependant pas son compte dans la correspondance des abbés Desjardins en ce qui a trait à la venue de la collection Desjardins et sur la façon dont elle a voyagé. La suite de l'historique de ce tableau est donnée en p. 49, 2e paragraphe et à la note 3. L'utilisation du texte de Gatien montre bien la façon dont les historiens doivent travailler pour « écrire » l'histoire. Ils ne disposent souvent que d'une source d'information pour formuler une interprétation, information le plus souvent fournie par l'informateur en position dominante dans la société. Il aurait été important de pouvoir reporter les commentaires des marguilliers en parallèle de ceux de Gatien plutôt que d'utiliser un argument d'autorité, surtout lorsqu'il s'agit d'une œuvre disparue. L. L.

2. Il faut signaler le rôle de l'abbé Gatien qui, en plus d'encourager deux artistes en début de carrière, conçoit les œuvres en pendant et comme formant un mini-programme iconographique parfaitement adapté à l'espace dont il dispose. L. L.

3. Joseph Légaré, âgé de 30 ans, n'est pas en 1825, le doyen des artistes québécois. Il faudrait regarder du côté des Baillargé, de Dulongpré. L. L.

4. Ce tableau (fig. 61) est souvent désigné dans les livres de comptes sous le titre de *Saint Joachim* (Porter, 1978, n° 85, pp. 106-107).

   Il semble que Légaré ait ici pratiqué une formule dont il usait couramment dans ses copies d'œuvre. Afin d'obtenir une composition et une iconographie originales, il combinait des éléments de deux ou plusieurs compositions (l'on verra Plamondon s'adonner à la même pratique dans son tableau des *Miracles de Sainte Anne*, p. 48). Le personnage de la Vierge est emprunté à la *Présentation de Marie au temple* (coll. du Séminaire de Québec). Cette œuvre serait parvenue avec le deuxième envoi de la collection Desjardins en 1820 et appartenait à Joseph Légaré (n° 32 dans la liste fournie par Bourne dans *Picture of Quebec*, 1829; et n° 14 du *Catalogue of the Quebec Gallery of Paintings*, 1852, par Joseph Légaré). Elle porte traditionnellement une attribution à Domenico Feti. Ce tableau serait plutôt d'après Gregorio Lazzarini (Venise, 1665 — Verone, 1730). Quant aux sources d'inspiration pour les quatre autres personnages: Joachim, Anne, un homme et une femme ainsi que pour l'architecture, celles-ci n'ont pas été retracées. Quelques tableaux ayant appartenu à Légaré dont les originaux n'ont pas encore été localisés pourraient en être la source, tel le *Saint Pierre guérissant les malades* qu'il semble avoir copié en partie à Bécancour (Porter, 1978, nº 165, p. 128).

Sur la façon de travailler de Légaré et sur le tableau de Cap-Santé, Morisset avait écrit plus tôt:

> En assimilant ainsi des recettes picturales, il apprend à voir un tableau: sa main devient moins lourdes (sic), sa palette moins uniformément sombre. Il analyse ses modèles avec une perspicacité qui étonne, quand on songe qu'il est son propre maître et qu'il doit tout apprendre en même temps.
>
> Puis il s'enhardit à composer des tableaux dont les éléments, empruntés à des œuvres différentes, sont soudés les uns aux autres avec un art qui n'est pas toujours à dédaigner. Il y a par exemple à l'église du Cap-Santé une *Présentation au temple* dans laquelle le personnage de la Vierge est tiré d'un tableau attribué à Domenico Feti, (3) tandis que Saint-Joachim est inspiré par un personnage d'une autre toile de la collection Desjardins. C'est un procédé dont Légaré use avec une certaine maîtrise, en prenant un soin infini à masquer les transitions.
>
> (3) Musée de l'Université Laval (Québec) catalogue de 1933, nº 84. — Ancienne collection Desjardins. L'attribution à Domenico Feti est discutable. (Morisset, juillet 1934). L. L.

5. Joseph Légaré exécuta également à quelques reprises des parements d'autel. John R. Porter (1978) a relevé des mentions d'exécution pour deux autres groupes en plus de celui de Cap-Santé, soit pour l'église de Charlesbourg (v. 1833, nº 263, p. 148) et pour l'église St-Patrice de Québec (v. 1834, nº 264, p. 148). Il lui en attribue même un, représentant *Le Christ mort* (nº 116, p. 115), qui pro-

vient de l'église Saint-Pierre-aux-Liens de Caraquet et qui est toujours conservé au Couvent Notre-Dame de Caraquet. Une réplique de cette œuvre est conservée à l'église Sainte-Rose de Laval. Sans que l'on connaisse les sujets des trois parements réalisés pour Cap-Santé en 1837, le Journal, 1811-1840 (annexe 2) est suffisamment loquace pour faire revivre les circonstances de leur venue à l'église Sainte-Famille de Cap-Santé. Les parements étaient utilisés pour décorer le tombeau de l'autel selon les différentes fêtes et le temps liturgiques. L. L.

6. Cette partie du texte de Morisset extrapole à partir du manuscrit de l'abbé Gatien cité à l'annexe 2. Plamondon qui venait de terminer son apprentissage chez Légaré devait déjà connaître l'abbé Gatien par l'intermédiaire de quelque membre du clergé. Ce fut probablement le premier tableau d'histoire de Plamondon. L. L.

7. Cette « étourderie » a été corrigée depuis. Les photos 7, 10 et 12 de l'édition originale de 1944 montraient cette inversion. L. L.

page 48

1. Remarquer ici la structure de la description de Morisset qui construit souvent son texte et le dramatise en utilisant des éléments contrastants. Ainsi, il avait opposé le doyen des peintres québécois, Légaré, à la précocité et à l'initiative de Plamondon; ici le tableau est décrit en utilisant les contrastes: cuivre et coton, âgée et attrayante, saints heureux et humains malheureux, Christ distrait et s. Anne suppliante (on retrouve la même description dans Morisset, 1936). Un des meilleurs exemples de ce système se retrouve à la p. 52, quand les fabriciens de Cap-Santé se débarrassent de leur *rossignol* « avec élégance ». L. L.

page 49

1. Ici, Morisset n'insiste pas sur l'origine et l'indentification précise de la source iconographique. Il faudrait retracer les tableaux auxquels Morisset songeait, afin d'identifier les sources d'inspiration des *Miracles de Sainte Anne*. L. L.

2. L'auteur est particulièrement perspicace à découvrir la maladie avant que les symptômes soient trop évidents. Il s'agit plutôt d'un démuni, d'un pauvre implorant le ciel pour quelque assistance. Plamondon s'inspire vraisemblablement ici du même modèle que Légaré a utilisé pour son *Saint Pierre guérissant un malade* (v. 1825) de l'église de Bécancour (Porter, 1978, n° 165, p. 128). Ce grabataire aurait lui-même été tiré d'une composition d'un même sujet, *Saint Pierre guérissant les malades*, attribué à Jean Jouvenet et qui appartenait à Joseph Légaré (voir note 4 de la p. 47). Il est intéressant de noter comment à partir de mêmes sources: le tableau de l'Hôtel-Dieu (voir note suivante) et le tableau appartenant à Légaré, attribué à Jouvenet, les deux artistes en tirent des compositions et des interprétations iconographiques nouvelles. Les personnages restent sensiblement dans le même espace pictural. Comparez par exemple les deux tableaux de Cap-Santé avec celui de Bécancour pour la position du malade et du thaumaturge. C'est par la réintégration d'éléments pris à diverses sources que la création d'une œuvre nouvelle se produit pendant cette période qui, pour les deux artistes en est encore une d'apprentissage de leur métier. L. L.

3. La femme agenouillée est inspirée par la composition représentant *La Présentation de Marie au temple* (encore)

de la collection de l'Hôtel-Dieu de Québec (Boisclair, 1977, nº 100). Nous attribuons ce tableau à Sébastien Le Clerc II (le Jeune) (Paris, 1676-1763) (voir le compte rendu du Catalogue de Marie-Nicole Boisclair dans les *Annales d'histoire de l'art canadien*, vol. 4 nº 2, 1977/78, p. 176). L. L.

4. On distingue maintenant le corps d'un enfant étendu devant la femme agenouillée. L. L.

5. Cette composition des *Miracles de sainte Anne* (fig. 62) emploie à la partie supérieure une source iconographique non encore identifiée que Plamondon réutilisera par la suite en de nombreuses occasions. Ainsi, dans sa version de l'*Ex-voto de Juing* (1826) copie exécutée pour Sainte-Anne de Beaupré (Gérard Morisset, « La peinture en Nouvelle-France, Sainte-Anne de Beaupré ». *Le Canada français*, vol. 21, no 3, nov. 1933, pp. 216-217). On retrouve ce groupe d'anges autour de la figure du Christ et de s. Anne à l'église de la Malbaie (détruit), à Sainte-Marie de Beauce et en partie seulement à l'église de Saint-Jean, Île d'Orléans. L. L.

6. Le texte intégral de l'abbé Gatien est reproduit à l'annexe 2. L. L.

page 50

1. Le tableau attribué à Michel-Honoré Bounieu (Marseille, 1740 — Paris, 1814) portait le nº 8 de l'inventaire de la collection Desjardins et les dimensions 4′ 8″ × 6′ 3″ (Archives des Ursulines de Québec). Le Séminaire de Québec s'en porta acquéreur dès 1817 et c'est là qu'il

demeura jusqu'à sa destruction en 1888. Aucune trace visuelle ne semble en avoir été conservée. L. L.

page 51

1. Les péripéties du vol de 1826, telles que consignées dans le L. C., 1811-1840, méritent la peine d'être relatées: la première mention a été rayée: « dépensé pour faire courir après les voleurs, qui ont enlevé la recette d'or françois piché marguillier », puis l'action commence: « payé pour dédommager jo richard, pour trois jours employés à la recherche et à la capture des voleurs sus-dits 18# ». La course se poursuit par voie de mer: « donné à pierre morisset pour aller à la recherche de la chaloupe dans laquelle les voleurs se sont enfuis 3# » et par voie de terre: « payé pour le retour de jo richard par la voie de la poste qui étoit allé à la recherche des voleurs 13# 16^{s} », fins limiers qu'il faut entretenir: « dépensé par Mathurin Morisset, député à la recherche des voleurs 15# 7^{s} » et au même « pour frais de ses voyages et dédommagements en courant après les voleurs 14#. »

Voilà beaucoup de frais pour récupérer les 50 livres qui appartenaient à la fabrique et qui se trouvaient chez François Piché, marguillier. Les coupables ont été arrêtés, mais non condamnés. Une partie de l'argent a pu être rendue (Gatien, 1955, pp. 134-135). En juin 1829 un groupe d'au moins 8 hommes a pénétré par effraction dans la maison du même François Piché, ils se sont emparés d'une somme de 300 piastres appartenant à Piché, avant de se livrer à des actes de vandalisme et brutaliser une jeune fille qui habitait la maison. À la suite de recherches intensives les coupables ont été retrouvés. Un des hommes a été pendu, les autres ont été exilés à vie. (Gatien, 1955, pp.

145-146). Ce deuxième vol ne semble pas cependant concerner l'argent de la fabrique. C. B.

2. En fait, c'est en 1857 que les marguilliers décident de faire restaurer un tableau de la *Sainte Famille* (D. M., 1818-1858, [p. 173]. Le nom de Plamondon n'est pas mentionné et l'on ignore s'il s'agit du tableau du maître-autel. La restauration mentionnée au Journal (1878-1902, n.p.) qui fut exécutée en 1878 pourrait bien être l'œuvre de l'artiste français A. E. Noël. Celui-ci circula dans la province de Québec à cette période décrochant des contrats de restauration dans plusieurs paroisses. L. L.

page 52

1. Cette décision fut prise lors de l'assemblée des marguilliers du 9 juin 1861 (D. M., 1858-1958, p. 59). L. L.

2. La *Vierge au diadème* (fig. 63) procède encore de la méthode du collage. Le groupe principal s'inspire du tableau du Louvre, saint Joseph est extrait d'un autre tableau de Raphael, *La Sainte Famille de François 1er*. Le groupe de Dieu le Père n'a pas sa source immédiate dans l'œuvre de cet artiste, bien que certains des panneaux décorant le plafond des Loges du Vatican, exécutés entre 1517 et 1519, s'en rapprochent. De nombreux artistes italiens du XVIe siècle ont utilisé cette représentation de Dieu le Père dont la taille se détache de nuages et qui s'apprête à bénir ou à intervenir dans une activité terrestre. L. L.

3. Aucune information ne nous permet de comprendre cet écart entre les dates de commande et la signature du tableau de Plamondon ornant le maître-autel (fig. 63). Dès décembre 1860, la Fabrique décide de faire réaliser un

tableau pour son maître-autel (D. M., 1858-1958, p. 49). Après avoir reçu sans doute une réponse négative d'Antoine-S. Falardeau que l'on devait solliciter (D. M., 1858-1958, p. 52), les fabriciens se tournèrent vers Antoine Plamondon en 1861 (D. M., 1858-1958, p. 59). En juillet 1863, Raphael Giroux installe le tableau dans le cadre qu'il vient d'exécuter (D. M., 1858-1958, p. 59 et Journal, 1853-1863, n.p.) en remplacement du tableau de Dusault-choy qui a été donné à Portneuf (D. M., 1858-1968, p. 59). Le tableau a été payé en 1865 (R. C., 1812-1875, [p. 121]). L. L.

4. Le tableau placé dans un médaillon au-dessus de l'autel latéral droit est un détail de l'œuvre de Léonard, au contraire du tableau de Raphaël qui est agrandi de façon à inclure une nature morte (vase de fleurs) dans la partie gauche du tableau (fig. 66) au-dessus de l'autel latéral gauche. Dans ces deux cas, on note un processus d'agrandissement, fort probablement à partir d'une gravure. D'une part, l'artiste sélectionne une partie d'une composition, d'autre part, il ajoute des éléments afin de remplir tout l'espace et compléter la surface à couvrir. L. L.

page 53

1. Alors que la source d'inspiration pour la *Mort de s. Joseph* (fig. 64) n'a pas été identifiée, Plamondon a copié le tableau de Jean Jouvenet pour réaliser sa *Descente de croix* (fig. 65) Antoine Schnapper (1974) a signalé plusieurs versions de cette œuvre, exécutées par le peintre français ainsi que de nombreuses répliques d'atelier. Pierre Rosenberg (1971) avait repris l'information, fournie ici par Morisset, en suggérant que Plamondon aurait pu s'inspirer

de la gravure de Guillaume Loir (reproduite dans Schnapper, 1974, cat. nº 122, fig. 134). Il en existait une copie européenne à Oka (v. 1740) qui fut ensuite sculptée pour orner le Calvaire. Le tableau de Plamondon présente encore une fois de nombreuses variantes, dans l'adaptation de la source originale: allongement du premier plan, modification des proportions de la composition, sans parler de la valeur des coloris et de l'intensité des zones d'ombre. Plamondon semble avoir en mémoire son tableau réalisé en 1839 pour les Sulpiciens et maintenant dans la collection du Musée des beaux-arts de Montréal: Les paiements pour ces deux tableaux ont été faits en 1876 (Journal, 1864-1877, n.p., 12 septembre et D. M., 1866-1908, n.p.). L. L.

2. Avant de clore cette section portant sur les images, signalons deux types d'œuvres bi-dimensionnelles que l'on retrouvait en usage au Cap-Santé et qui animaient le décor religieux: les bannières et les vitraux.

   L'annexe 2 (voir aux dates 1846 et 1891) montre que la fabrique de Cap Santé promenait, régulièrement lors des processions, des images peintes et montées sur tissu retenu par des bâtons. Ces bannières marquaient l'allégeance de différents groupes dévots de la paroisse à leur saint patron (saint Jean-Baptiste; sainte Anne, dont la confrérie fut érigée en 1888). Certains artistes, tel Légaré, réalisèrent de ces images qui étaient incorporées aux bannières. En général, elles étaient l'œuvre des communautés religieuses féminines qui en faisaient le commerce. À la fin du XIXe siècle, l'industrie textile et les fabricants d'articles religieux s'emparèrent de ce marché entraînant la commercialisation et l'uniformisation des images que l'on circulait dans les paroisses.

Le curé Pouliot, en charge de l'église de Cap-Santé de 1909 à 1934, fut responsable de l'installation des vitraux (verre peint) qui se trouvent encore dans l'église (Gatien, 1955, p. 297). Réalisés par la firme Hobbs & Co. de Montréal, ils furent offerts en don par les paroissiens. Le programme iconographique représente dix apôtres dans les œils-de-bœuf qui se trouvent à la partie supérieure des murs ainsi que le Christ, la Vierge et s. Michel. Les grandes scènes historiées qui éclairent l'étage inférieur de la nef et du chœur représentent: l'*Éducation de la Vierge*, (fig. 67), l'*Adoration des mages*, la *Sainte-Famille*, *Jésus au milieu des docteurs*, le *Baptême du Christ*, le *Sermon sur la montagne*, *Jésus guérissant les malades*, « *Laissez venir à moi les petits enfants* », la *Dernière Scène*, la *Descente de la croix*, l'*Ascension*, l'*Assomption*, l'*Invention du rosaire*.

Enfin, une dernière note concernant l'usage des rideaux. Des mentions ont été relevées à plusieurs reprises dans les livres de comptes, et reproduites à l'annexe 2, qui signalent l'achat de tissu et la confection de rideaux. Ceux-ci servaient à recouvrir les tableaux lors de certaines cérémonies et de moments liturgiques (pénitence), tout au cours de l'année. Le Journal, 1848-1861, signale à plusieurs reprises, par exemple, que lors de services funèbres (de première classe) l'on tirait le rideau sur le tableau surmontant le maître-autel. L. L.

3. Afin de se faire une idée rapide et précise des objets de culte en argent et autres métaux qui ont appartenu ou appartiennent encore à la fabrique du Cap-Santé, le lecteur se référera aux tableaux synoptiques 2 et 3. R. D.

4. En effet Charlesbourg et Saint-Joachim possèdent des

objets importés de France ou fabriqués par des orfèvres du régime français en Nouvelle-France, ainsi que des œuvres de François Ranvoyzé. La « variété » dont parle Morisset s'appliquerait donc ici aux orfèvres représentés et non aux types d'objets. La période historique représentée est donc plus longue, avec plus d'orfèvres, d'où variété accrue. À Cap-Santé, comme on l'a vu par le tableau synoptique, ces objets ont été fondus et transformés au XIXe siècle par Amiot, Sasseville et Lespérance. R. D.

5. Par le terme « abondance », Morisset semble se référer aux types d'objets et à leur quantité. En effet, il manque à Cap-Santé quelques objets très souvent fabriqués en argent massif, tels que: chandeliers, croix d'autel et de procession, ostensoir, piscine, porte-dieu, tasse à quêter. On trouve beaucoup plus rarement des reliquaires ou de la statuaire (Voir annexe 3). R. D.

6. Nous sommes entièrement d'accord avec Morisset si, par « original », il se réfère au concept suivant: « œuvre d'art de la main de l'auteur » (Petit Robert). Si Morisset veut dire que tous ces objets ont été fabriqués expressément pour Cap-Santé, et y sont conservés depuis leur acquisition, il faudrait plutôt dire « originelles ». Par contre, nous sommes en désaccord avec Morisset s'il veut dire: « qui paraît ne dériver de rien d'antérieur, ne ressemble à rien d'autre, est unique », ou par extension, « marqué de caractères nouveaux et singuliers au point de paraître bizarre, peu normal. » En effet, si Morisset se réfère au caractère stylistique et morphologique des pièces d'orfèvrerie de Cap-Santé, il faudrait plutôt parler de mimétisme que d'originalité. Dans l'œuvre de chacun des orfèvres on peut relever plusieurs objets identiques et semblables où les variantes se limitent à des détails. À cet égard, le seul

objet vraiment original de Cap-Santé est un instrument de paix qui est très différent des modèles courants. Curieusement, Morisset n'avait pas relevé cet objet lors de son inventaire. R. D.

7. Morisset se laisse aller ici à une inflation verbale qui ne correspond pas à la réalité. L'orfèvrerie de Cap-Santé ne se distingue en rien de celle des autres paroisses, ni par l'utilisation de matériaux somptueux, tels l'or, comme Ranvoyzé l'a fait à l'Îslet (Morisset, mars 1950), ou d'autres matières précieuses; ni par des prouesses techniques particulièrement exceptionnelles, telle l'exécution d'une *Vierge* en argent comme l'a fait Salomon Marion pour l'église de Verchères, aujourd'hui à la Galerie nationale du Canada (Trudel, 1975). R. D.

page 54

1. Un objet fabriqué « hier » ne possède pas nécessairement un caractère de « simplicité ». Le calice de Sasseville au Cap-Santé est un exemple d'une œuvre très élaborée et à laquelle on ne peut pas appliquer cet adjectif. Par contre, nous sommes d'accord avec Morisset, s'il veut dire que la majorité des œuvres de Cap-Santé présentent une grande simplicité d'ornementation et de formes. R. D.

2. Se reporter à nos commentaires de la page 21, note 8. R. D.

3. Se reporter à nos commentaires de la page 20, note 7. On remarquera ici que Morisset est plus nuancé: il dit « probablement », ce qui laisse planer le doute et l'incertitude, au lieu de « a façonné » qui est catégorique et univoque. R. D.

4. Se reporter à nos commentaires de la page 20, note 12. Le calice était utilisé à Cap-Santé dès avant 1733; on ne connait pas sa date de fabrication ni sa provenance. R. D.

5. Encore une fois, Morisset est en contradiction avec son texte des pages 20-21. Ici il laisse supposer que tout le calice a été fabriqué par Lambert et Cotton, alors que plus tôt il précisait qu'il s'agissait de la coupe seulement. D'autre part, il y a une énorme différence entre une « œuvre conjointe » et une coupe qui a été fabriquée par Lambert, puis dorée par Cotton. Se reporter aux commentaires de la page 20, note 13 et de la page 21, notes 3 et 5. R. D.

6. C'est faux, tels que le confirment les deux extraits suivants du Journal, 1731-1751, pages 4-5. Morisset avait lui-même relevé ces informations en 1937 (IBC, dossier Cap-Santé) ce qui nous laisse supposer qu'il a rédigé sa monographie sans consulter ses notes. « 9bre 1731 plus pr des boêtes aux Stes huiles tant p^r^ la matière que p^r^ partie de la façon cinquante ls huit sols cy 12 ». « Mars 1732 8e payé pour reste de la façon des boêtes à Stes huiles douze 12 ». On peut donc en conclure que le Cap-Santé a acquis un boîtier et des ampoules en 1731. L'inventaire de 1747 en précisera le nombre et le matériau: « un boitier d'argent contenant les trois petites boites (aussi d'argent) pour les ste huiles » (Journal, 1731-1751, p. 76). R. D.

7. En effet, ces objets nous en apprendraient beaucoup tant sur la technique que sur le style. À titre d'exemple, l'ostensoir de Saint-Joachim (Trudel, 1974, p. 206, n° 139) nous montre le type de réparation faite à un objet

page 54 (7. suite)

---

français par Jacques Pagé dit Quercy. Par ailleurs, les informations connues sur le calice et le ciboire de Cap-Santé (voir annexe 3A) et les nombreuses réparations qu'ils durent subir nous amènent à émettre les hypothèses suivantes: a) vu la pauvreté de la paroisse, on n'avait pas eu les moyens d'utiliser une grande quantité de matière d'argent, d'où la fragilité des objets due à la faible épaisseur de la feuille d'argent; b) le curé ou les servants de messe n'étaient pas soigneux et brisèrent ces objets à plusieurs reprises; c) ces objets furent victimes de malencontreux accidents purement fortuits; d) l'(les) orfèvre(s) qui les avai(en)t fabriqués n'étai(en)t pas très habile(s), d'où leur fragilité. Il est très difficile à ce niveau des hypothèses de prouver quoi que ce soit. R. D.

8. L'étude de notre tableau synoptique (Voir annexe 3a) semble confirmer cette hypothèse de Morisset. Aucun des quatre objets en argent de l'inventaire de 1747 n'a été conservé, de même que les burettes de 1770 et l'encensoir de 1793. Le plus vieil objet conservé est le bénitier de 1794; c'était le septième objet en argent acquis par la fabrique. Les livres de comptes nous apprennent que le vieil encensoir fut donné à Amiot en paiement lors de l'acquisition d'un encensoir neuf en 1822. Ce vieil encensoir valait £ 6 ou 144# selon la même mention (on y calcule que 1£ équivaut à 24#) (Journal, 1811-1841, n.p.). Or cet encensoir d'argent avait été acquis en 1793 pour la somme de 350# (Journal, 1811-1841, n.p.). Qu'en a fait Amiot? Il l'a fort probablement fondu pour récupérer l'argent comme matériau.

   La même année 1822, la fabrique acquiert des burettes neuves et leur bassin pour le prix de 96# en espèces, plus £5 ou 120# « en vieille argenterie », soit pour un prix total de 216#. Mais de quelle vieille argenterie peut-il s'agir? De prime abord, on doit éliminer les objets qui existent encore aujourd'hui (annexe 3a, nos 14, 13, 12,11, 10, 8, 7) ainsi que l'encensoir déjà fondu tel que nous l'avons vu plus haut (annexe 3a, n° 6). Restent le ciboire (annexe 3a, n° 1), le boîtier et ses ampoules (annexe 3a, n° 2), le calice (annexe 3a, n° 3), le porte-Dieu (annexe 3a, n° 4), et les burettes (annexe 3a, nos 5 et 9). Bien que l'on se soit procuré de nouveaux calice et ciboire (annexe 3a, nos 10 et 11) en 1801, il serait étonnant qu'on ait fondu les vieux pour les transformer en burettes. L'hypothèse la plus plausible serait que toutes les vieilles burettes (probablement quatre) aient été transformées en une paire de neuves, plus un bassin. Quant au vieux boîtier avec ses ampoules il semble avoir subi le même sort en 1828, date où la fabrique a acquis une « boëte neuve, pour les saintes huiles » payée seulement 96#. Cette somme peu élevée nous laisse en effet supposer qu'Amiot a utilisé le vieux boîtier avec ses ampoules comme matériau de base. Quant au porte-dieu, Dieu seul sait où il se trouve aujourd'hui. R. D.

9. Il est en effet difficile de savoir ce qui advînt des vieux calice (annexe 3a, n° 3) et ciboire (annexe 3a, n° 1). En 1801 on a acquis des nouveaux pour 772# (annexe 3a, nos 10, 11) soit environ 386# pour chaque objet. En 1845 on a payé £52. 11. 3 à Sasseville, ce qui représente 1261# 10′ anciens. On peut donc déduire qu'il s'agit là du paiement pour les calice et ciboire de cet orfèvre. Se serait-on départi des vieux calice et ciboire lors de l'acquisition de nouveaux en 1801 ou 1845? Ou bien aurait-on pu les faire fondre en 1822? Ou bien les aurait-on donnés à une desserte ou à une nouvelle paroisse? On a également perdu trace du porte-dieu, de l'ostensoir, des chandeliers et de la piscine (annexe 3a, nos 4, 18, 22, 23). En ce qui concerne

les paroisses naissantes, Morisset cite à la page 36 (lignes 9 à 13) celles qui sont nées du démembrement de Cap-Santé (Saint-Basile, Saint-Raymond, Pont-Rouge, Portneuf...). Il serait intéressant d'y faire des recherches dans les objets et les livres de comptes. R. D.

10. Voici la mention des livres de comptes: « Pour une paire de burettes 60″ (Journal, 1714-1812, n.p.). On ne mentionne pas le matériau de ces burettes, quoique le prix puisse nous laisser penser qu'elles sont en argent. En 1795, on paiera 56# pour des « burettes d'argent » (Journal, 1714-1812, n.p.), et en 1822, 216# pour des burettes neuves avec le bassin » (Journal, 1811-1840, n.p.).

    Il serait surprenant que Ranvoyzé ait fabriqué ces burettes, puisqu'il est désormais accepté qu'il a commencé à travailler à son propre compte en 1771 après son mariage (Derome, été 1976). Cet article révise l'interprétation proposée par Morisset en 1942 dans sa monographie sur François Ranvoyzé à laquelle il réfère en note 48. (Morisset, 1942). R. D.

page 55

1. Amiot signait toujours son nom avec un « i » et non un « y ». Ce paiement a été fait en 1795 et non en 1796. Voici l'extrait du livre de compte pour 1795 « p. burettes d'argent cent cinquante six livres cy 156 ». On ne mentionne pas le nombre de burettes, Morisset l'extrapole à deux, ce qui semble être plausible, mais rien ne permet d'être sûr. R. D.

2. Morisset cite le texte du livre de comptes en note 49. Comme on ne mentionne pas le nom de l'orfèvre, et comme on n'a retrouvé aucune burette de Amiot à Cap-Santé, il n'est pas possible d'affirmer que ces burettes ont été exécutées par cet orfèvre. Toutefois, on peut le supposer, puisqu'on conserve toujours un plat à burettes de Laurent Amiot qui date sûrement de 1822. Au sujet de ces burettes, se rapporter à notre commentaire en page 54, notes 8 et 10, p. 55 note 3. R. D.

3. Le 1er juillet 1865 on a posé des couvercles aux burettes (annexe 3A, no 15). À cette date, il ne semble y avoir qu'une seule paire de burettes en argent à Cap-Santé, si on admet que celles acquises en 1770 et 1795 ont été fondues en 1822 (p. 54, notes 8 et 10, p. 55 note 2; annexe 3A, nos 5, 9, 15.). Une des deux paires de burettes de Pierre Lespérance conservées à Cap-Santé porte les poinçons de cet orfèvre à l'intérieur de ses couvercles. On peut donc en déduire qu'il s'agit des couvercles posés en 1865, sur les burettes qui avaient été acquises en 1822.

   La fabrique de Cap-Santé a acquis deux autres paires de burettes en 1869 et 1876 (annexe 3A, nos 24, 25.). Une des deux paires n'a pas été retrouvée, alors que l'autre existe toujours et porte les poinçons de Pierre Lespérance.

   Voici donc une reconstitution hypothétique de l'histoire mouvementée des burettes de Cap-Santé. En 1747 on possède deux « vieilles burettes » dont le matériau n'est pas identifié (annexe 3B, no 5.). En 1770 on y ajoute une « paire » de burettes probablement en argent, puis d'autres en 1795 (annexe 3A, nos 5, 9.). Elles ont vraisemblablement toutes été fondues en 1822 et converties en « burettes neuves avec le bassin » (annexe 3A, nos 15, 16.). Le bassin est sûrement celui que l'on conserve aujourd'hui et qui porte le poinçon de Laurent Amiot. Ces burettes en 1822 ont été modifiées en 1865 par Pierre Lespérance qui leur a ajouté des couvercles.

4. On doit ajouter le nom de la firme Robert Hendery ou Hendery & Leslie (Langdon, 1966) pour le ciboire à l'annexe 3A, n° 27, ainsi que ceux des orfèvres Martin et Dejean pour le plat à burettes fabriqué à Paris entre 1838 et 1846 (annexe 3A, n° 30). L'ostensoir acquis à Paris en 1843 par l'entremise de Charles Hamel provenait peut-être du même atelier (annexe 3A, n° 18). Mentionnons aussi que l'instrument de paix (annexe 3A, n° 29) est anonyme. Il paraît injuste pour les orfèvres qui ont fabriqué les objets fondus ou disparus (annexe 3A, n°s 1 à 6, 9, 18, 22, 23, 26, 27) de dire que l'orfèvrerie de Cap-Santé ne leur doit pas reconnaissance même s'ils resteront toujours anonymes. R. D.

5. Il faudrait ajouter un nom à cette dynastie, celui d'Ambroise Lafrance (1847-1905), qui a été l'apprenti de François Sasseville (IBC, dossier Lafrance; Trudel, *DBC* IX). Au lieu de dynastie on pourrait aussi parler d'Atelier ou d'école, puisque la boutique et les outils d'Amiot sont successivement passés à Sasseville, Lespérance et Lafrance. Les modèles, styles, formes et décorations se transmirent de la même façon. Gérard Lavallée a acquis pour le Musée d'art de Saint-Laurent plusieurs outils et des dessins de pièces d'orfèvrerie qui proviennent de cet atelier. Lavallée les y expose de façon fort intéressante dans une reconstitution d'un atelier d'orfèvre.

La majorité des églises de la région de Québec s'approvisionnèrent en orfèvrerie religieuse auprès de Amiot, Sasseville, Lespérance et Lafrance qui furent les principaux fournisseurs pour une période de plus d'un siècle. R. D.

6. Parti de Québec vers l'été 1782, Amiot y revînt au printemps 1787 (Archives du Séminaire de Québec, Lettres, carton P, n°s 22, 29, 35). La formation acquise dans les ateliers parisiens en fit un technicien exceptionnel. Son style fut à cette occasion fortement influencé par le Louis XVI, qu'il répandit à Québec à son retour. François Baillairgé, peintre et sculpteur, était lui-même revenu d'un séjour d'études à Paris à l'été de 1781 (*François Baillairgé et son œuvre 1759-1830*, Ministère des Affaires Culturelles, Québec, 1975, pp. 7-8). R. D.

7. Jean Trudel interprète de façon plus rigoureuse cette partie de la biographie de Sasseville:

> Le 13 novembre 1819, François Sasseville signe une convention avec Etienne Lajoie, navigateur de Baie-Saint-Paul, au sujet d'une terre dans le comté de Gaspé. Il est dit « garçon majeur apprentif orfebvre demeurant en cette ville de Québec », mais le mot « apprentif » est rayé, ce qui peut indiquer qu'il venait de terminer son apprentissage. On ne sait rien d'autre sur lui avant 1839 alors que, le 2 juillet de cette année, les descendants de l'orfèvre Laurent Amiot lui louent la maison de leur père, mort le 3 juin. Le bail stipule que ces derniers « abandonnent au dit Sieur Sasseville toute la boutique maintenant existante telle que laissée par leur père avec le peu de masse en argent qui peut exister, compris tous les ingrédients et tous effets et articles propres à l'art d'orfèvrie ». François Sasseville a pu faire un apprentissage avec son frère Joseph, de sept ans son aîné et orfèvre à Québec en 1811, mais le don de la bouti-

que d'orfèvre de Laurent Amiot ne laisse aucun doute sur les liens étroits qu'il devait entretenir avec ce dernier. (Trudel, DBC *IX*.) R. D.

8. Jean Trudel précise:

   Dans son testament, Sasseville, resté celibataire et ayant accumulé une petite fortune, lègue à Pierre Lespérance, en plus de 100 parts dans la Banque du Peuple, toute sa boutique d'orfèvre. Il lègue aussi « à Ambroise Lafrance si au jour de [son] décès, il était encore [son] apprenti ou employé [...] la somme de cent piastres ». (Trudel, *DBC* IX). R. D.

9. Ce commentaire de Morisset est toujours pertinent et l'historiographie récente soutient cette interprétation (Trudel, *DBC* IX). R. D.

10. Sasseville est né à Sainte-Anne-de-la Pocatière (Trudel, *DBC* IX). R. D.

page 56

---

1. Morisset fait un usage très large de ce terme qui a un sens précis: « œuvre capitale et difficile qu'un artisan devait faire pour recevoir la maîtrise dans sa corporation. » (Petit Robert). R. D.

2. Amiot a fabriqué plusieurs autres lampes et bénitiers pour les paroisses autour de Québec. Leurs formes et décors ne varient que par des détails décoratifs: godrons au lieu de festons par exemple. Le vocabulaire décoratif Louis XVI d'Amiot y est presqu'uniquement géométrique et très répétitif. Comparé à l'œuvre de Ranvoyzé ou de Marion

(fig. 85), elle engendre une certaine monotonie et manque d'imagination créatrice (voir *Ranvoyzé*, 1968). Gatien rapporte un épisode intéressant au sujet de la lampe du sanctuaire que l'on a essayé d'intégrer dans une armoire creusée à même le mur (annexe 3A, 1818 et 1821.). R. D.

3. Morisset se laissant entraîner par sa plume et la magie des adjectifs qu'il multiplie (vigoureux, hardi, courbe gracieuse, maîtrise, naturalisme, charmante fantaisie...), en arrive à faire l'apothéose de Laurent Amiot et à l'élever aux nues du royaume divin de l'antiquité gréco-romaine, lui réservant ainsi une place au panthéon des artistes canadiens. Cette idéologie, Morisset l'a héritée des historiens de la fin du XIXème siècle qui n'hésitèrent pas à « glorifier » le passé et à « déifier » les ancêtres illustres (voir par exemple Adèle Bibaud édit., *Le Panthéon canadien, choix de biographies, par Maximilien Bibaud*, Montréal, 1891.). D'autre part, Morisset s'est probablement laissé aller à cette rêverie sous l'influence du style Louis XVI qui a largement puisé dans le vocabulaire décoratif de l'antiquité. R. D.

4. « Feston: guirlande de fleurs et de feuilles liées en cordon, que l'on suspend, en forme d'arc. » (Petit Robert). R. D.

page 57

1. L'analyse stylistique proposée par Morisset est beaucoup plus émotive que rationnelle et rigoureuse, comme on l'a vu à la page 56, note 3. Morisset consacre les pages 57 et 58 à Amiot. L'utilisation abondante des adjectifs dénote un parti-pris indéfectible. Ce qui nous amène à réfléchir

sur le discours de Morisset et son style de critique d'art qui mériterait une analyse fouillée. Voici une énumération de ces adjectifs qui est très révélatrice: vigueur des contours, martiale rondeur, grâce, discrétion, à l'aise, solennité, tenue irréprochable, majestueuses, francs, fines, forte, simple, gentille, impeccablement, simples, parfaites, finesse. R. D.

2. Godron: ornement creux, plat ou saillant, de forme plus ou moins allongée et aux extrémités arrondies. R. D.

3. On retrouve les feuilles d'acanthe sur la lampe de sanctuaire, sur le cul-de-lampe, avec des rais-de-cœur ou fers de lance. R. D.

4. Postes: ornement fait de volutes qui ont l'air de se courir après, de « courir la poste »; appelé également « flots » parce qu'il imite des vagues. R. D.

5. « Étrésillonner: soutenir avec des étrésillons, qui sont des pièces de bois servant à soutenir les parois d'une tranchée ou d'une galerie de mine. » (Petit Robert). On pourrait dire aussi: étayer. R. D.

6. Le prix total de l'encensoir n'est pas 456# comme il apparaît au bout de la ligne pointillée. En effet cette somme qui équivaut à £19 (24# pour £1), n'inclut pas la valeur du vieil encensoir remis à l'orfèvre: £6 ou 194#. Donc le prix total du nouvel encensoir avec la navette est de 600#. R. D.

page 58

---

1. Tout comme pour la lampe de sanctuaire et le bénitier, Amiot répète inlassablement dans ses encensoirs les mê-

mes formules décoratives sans déroger beaucoup de ses deux principaux modèles: avec feston de feuilles de laurier, ou avec godrons (vor Fox, 1978, qui illustre ces deux modèles pp. 38-40 et 44-45.). Morisset a publié une étude sur les encensoirs dans laquelle il démontre l'évolution et la richesse des formes de cet objet (Morisset, 1943c). Encore une fois, on trouve beaucoup plus d'imagination décorative dans les œuvres de Pierre Huguet (fig. 97), Salomon Marion et Paul Morand (fig. 98) surtout les deux derniers. Ils poursuivirent à Montréal l'élaboration d'un vocabulaire décoratif spontané ou poétique dont l'esprit s'apparente au travail de Ranvoyzé, contrastant nettement avec la froide rigueur et la technique étincelante d'Amiot.

L'encensoir est un objet fragile puisque la cheminée ajourée est facilement dommageable. D'autre part, l'utilisation qu'on en fait, sujette à de nombreux mouvements de va-et-vient, soumet l'objet à des coups fréquents. De plus il risque de heurter des objets car il est pendu au bout des chaînes qui le soutiennent. Les enfants de chœurs ne sont pas toujours aussi soigneux qu'il le faudrait. Tous ces éléments font que l'encensoir doit souvent être réparé. Le tableau synoptique en annexe confirme que l'encensoir de Cap-Santé a été beaucoup utilisé, donc beaucoup endommagé et réparé (annexe 3A, n° 13.). R. D.

2. Deux objets ont été acquis en 1801, un ciboire et un calice que la fabrique possède toujours et qui sont l'œuvre de Laurent Amiot (annexe 3A, n°s 10 et 11). Cet élégant ciboire bien proportionné possède une fause coupe dont le renflement subtil insuffle vie et mouvement à toute l'œuvre (fig. 92). Amiot a produit une multitude de ciboires, de dimensions, styles et décors différents (fig. 95), dont les variantes seraient très intéressantes à étudier. Voir aussi

Fox, 1978, pp. 36-37, qui reproduit deux ciboires avec une fausse coupe à godrons semblables, mais sans le renflement particulier de celui de Cap-Santé. R. D.

3. Ce calice (fig. 91) se rattache par son style à la tradition française fortement implantée en Nouvelle-France. Ces modèles furent copiés par la plupart des orfèvres tels que Ranvoyzé, Cruickshank, Huguet et Amiot. Voir par exemple le calice de Guillaume Loir à l'église Notre-Dame de Montréal (Trudel, 1974, p. 106, n° 41). (Voir aussi *Ranvoyzé*, 1968, n° 20 et Fox, 1978, pp. 46-47, n° 11). R. D.

4. La forme élégante et raffinée de cette aiguière (fig. 79) fut imitée par François Sasseville (IBC, dossier Sainte-Luce de Rimouski), par Pierre Lespérance (IBC, dossier Saint-Michel-de-Bellechasse) et par Ambroise Lafrance (Galerie nationale du Canada). Ce type d'objet a donné naissance à une grande variété de formes savoureuses différentes chez nos orfèvres, surtout influencées par l'orfèvrerie britannique ou américaine, que ce soit par la théière, (fig. 80) le « Pap-Boat » (aiguière ouverte à bec verseur servant à nourrir les malades d'une bouillie liquide) (fig. 81), ou l'aiguière verticale, galbée, beaucoup plus élégante (fig. 82). Il serait fort intéressant de faire une étude de ce phénomène, soit le changement d'utilisation des objets et de leur passage du profane au sacré, du protestantisme au catholicisme, du monde anglo-saxon au monde francophone. R. D.

5. Ce petit objet ressemble plutôt à un arrosoir pour les plantes. Huguet, Marion et Morand, ainsi que d'autres orfèvres ont imité de beaucoup plus près le modèle de la véritable théière (fig. 83). R. D.

6. La majorité des plats à burettes de Amiot ont cette forme caractéristique (fig. 89). R. D.

7. Morisset n'avait pas relevé le ciboire de Amiot lors de son inventaire en 1937 (annexe 3a, nº 10), ce qui peut expliquer son interprétation. D'autre part, Sasseville a travaillé pour Cap-Santé en 1839 et 1845 (annexe 3a, nºs 18 et 19). La date de 1854 rapportée par Morisset est peut-être une coquille où on a inversé le 5 et le 4? R. D.

page 59

1. Il faut surtout remarquer le magnifique galbe du couvercle convexe du boîtier. Un détail technique supplémentaire nous fait également apprécier le raffinement de cette pièce: le support intérieur troué, qui retient les ampoules en place, s'appuie simplement sur de petits renflements aménagés à l'intérieur de la paroi du boîtier. Amiot y a apposé son poinçon deux fois. R. D.

2. Comme Morisset le mentionne lui-même à la page 63 dans sa note 60, cette partie de son texte est tirée d'un article qu'il avait déjà publié (Morisset, octobre 1942). Morisset a omis de reprendre les quatre paragraphes d'introduction. Nous les reproduisons ici parce qu'ils nous permettent de mieux comprendre sa démarche historique qui, encore une fois, est une reconstitution hypothétique basée sur deux seuls documents originaux, le reste étant pure spéculation. Comme il le mentionne lui-même dans son texte, ces documents sont une mention de paiement à Sasseville en 1845 tirée des livres de comptes (annexe 3a, nº 19) et la date du décès de l'abbé Félix Gatien, le 19 juillet 1844. Son interprétation se base ensuite sur la psychologie compara-

tive de Gatien et de son successeur l'abbé Philippe Lefrançois. Selon Morisset, seul Gatien aurait pu commander à Sasseville un tel calice puisqu'il était un « homme de talent, d'étude et de goût, artiste à ses heures. » Et comme il n'a pu le faire que de son vivant, cela nous reporte à l'automne 1843 ou l'hiver 1844...! Pourtant, dès son arrivée, Lefrançois procéda à une innovation majeure en installant des poêles pour chauffer l'église (*Cap-Santé*, 1955, p. 206). Ce même homme n'aurait-il pas pu vouloir rajeunir le trésor de Cap-Santé par un nouveau calice et ciboire payés à Sasseville en 1845? Voici ce texte de Morisset:

> Il est des œuvres d'art dont la gestation est longue, pénible, féconde en épisodes plus ou moins dignes d'intérêt: dont l'histoire est connue, trop connue peut-être. Il en est d'autres, au contraire, qui s'offrent toutes nues à l'historien de l'art, sans une once de littérature, sans acte d'état civil: des œuvres qui, semble-t-il naissent pures de tout cabotinage, de tout souci de plaire, même de toute inquiétude.
>
> Pour peu qu'on ait de lecture, on se rappelle, sans grand effort de mémoire, certaines œuvres qui ont longtemps fait parler d'elles avant de naître, et d'autres, qui ont paru dans le silence et le mystère. Les premières tirent une part de leur intérêt de la masse de commentaires dont elles ont été l'objet avant même d'être enfantées; la beauté des secondes se laisse pénétrer avec lenteur, mais elle est plus émouvante, souvent plus profonde.
>
> Dans la Nouvelle-France d'autrefois, les œuvres d'art viennent au jour le plus simplement du monde. Parfois, on en devine l'éclosion dans les termes précis et banals d'un devis d'artisan ou d'un contrat devant

notaire; ou encore on en apprend l'existence par une simple mention des livres de comptes paroissiaux ou des livres de raison des bourgeois: « Payé à Un Tel pour tel ouvrage... telle somme. »

C'est ainsi qu'en l'année 1845, l'abbé Philippe Lefrançois, successeur de l'abbé Gatien à la cure du Cap-Santé, signale l'acquisition d'une pièce d'argenterie de François Sasseville: un grand calice historié, dont j'ai déjà publié une photographie[1]. Dans la reddition de comptes de 1845, on lit en effet cette simple mention: « Payé à M. Sasseville... £52. 11. 3. » soit la somme de deux cent trente dollars, c'est-à-dire plus de six cents piastres de notre monnaie actuelle. Si c'est l'abbé Lefrançois qui a rédigé cette mention, ce n'est pas lui qui a commandé le calice; c'est son prédécesseur, l'abbé Félix Gatien, homme de talent, d'étude et de goût, artiste à ses heures.[2]

---

1. Cf. Coup d'œil sur les arts en Nouvelle-France. Québec 1941, planche 31.
2. Félix Gatien est né à Québec le 28 octobre 1776. Il a été vicaire au Détroit de 1801 à 1806 puis professeur de théologie au Séminaire de Québec jusqu'en 1817. Nommé cette année-là à la cure du Cap-Santé, il y est mort le 19 juillet 1844. C'est lui qui a commandé au sculpteur Louis-Xavier Leprohon les trois tabernacles de l'Église et, à Laurent Amyot, une part dla belle argenterie religieuse qui est encore en usage au Cap-Santé. R. D.

3. Ici Morisset se laisse aller à faire de la reconstitution historique discutable. Il personnifie l'abbé Gatien et le fait agir en personne comme si on l'observait dans un roman, une pièce de théâtre ou un film. Se reporter à nos commentaires de la page 20, note 14. R. D.

4. Jean Trudel (Trudel, DBC IX) nuance cette interprétation en ajoutant un élément que Morisset a négligé: la concurrence et l'influence des importations françaises sur l'œuvre de Sasseville.

Succédant à Laurent Amiot, qui l'a sans doute formé, Sasseville hérite de sa clientèle. Il n'est donc pas étonnant que plusieurs de ses œuvres ne se différencient pas, tant pas leur forme que par leur décor, de celles d'Amiot. Les œuvres historiées, celles dont Sasseville est le plus fier, sont créées pour rivaliser avec les importations françaises.

Les Jésuites conservent à Québec un calice français historié fabriqué après 1838 et orné des médaillons représentant Jésus, (fig. 117), la Vierge (fig. 118) et saint Joseph (fig. 119). Un ciboire de Sasseville (La collection d'orfèvrerie Henry Birks, Q. 397) en reprend l'iconographie. On conserve même le moule en laiton qui a servi à fabriquer le saint Joseph (fig. 120). Les Jésuites conservent également un ciboire français fabriqué entre 1819 et 1838, dont le style et les sujets des médaillons sont cependant très différents. Sur ces médaillons on lit très distinctement le nom « HOULLIER », qui en est peut-être le fabricant. Par ailleurs, on trouve encore au Québec plusieurs calices d'importation française qui se rapprochent beaucoup de celui de Sasseville par les formes, la décoration et les médaillons historiés, tels ceux des Sœurs Grises, de la Congrégation Notre-Dame (fig. 113) et de Caughnawaga (fig. 114). Cette même influence de l'orfèvrerie française se retrouve également à la même époque dans les encensoirs et navettes, dans les ciboires et d'autres objets liturgiques. Le plateau à burettes de Cap-Santé par exemple (fig. 90), œuvre des orfèvres parisiens Martin et Dejean (1838-1846), s'orne d'un motif en rais-de-cœur et billette caractéristique, qui fut beaucoup utilisé par Sasseville, Lespérance et Lafrance. R. D.

5. Cette épaisseur inusitée découle de la technique de fabrication utilisée: on coule l'argent dans des moules qui reproduisent le médaillon historié choisi. Lorsque refroidi on soude le motif ainsi obtenu sur un squelette de forme approprié préalablement façonné par l'orfèvre. En exami-

nant le dessous du calice de Cap-Santé, on distingue nettement cette structure, ainsi que la forme caractéristique des médaillons qui y sont soudés (fig. 115). R. D.

6. Comme on vient de le voir plus haut, la technique utilisée est toute autre. On peut toutefois accorder amende honorable à Morisset puisqu'il a lui-même corrigé son erreur, neuf ans plus tard, lorsqu'il compare le calice de Lotbinière à celui de Cap-Santé, tous deux de Sasseville.

> Contrairement à ce que l'on croit, les six médaillons de ce calice ne sont pas ciselés dans la masse; ils sont coulés en argent au moyen de modèles en laiton — quelques-uns existent encore dans la collection de M. Louis Carrier; les moulages ainsi obtenus sont ensuite soudés à leurs places respectives, et retouchés au ciselet et au poinçon. Ainsi s'expliquent la netteté de dessin de ces médaillons miniatures et la fermeté de leur exécution. On peut se demander d'où proviennent ces modèles. Sont-ils de la composition même de l'orfèvre? Ou bien celui-ci les a-t-il moulés sur quelque ouvrage français de l'époque 1830? (Morisset, 1953, pp. 52-53.)

Ces onze moules qui appartenaient naguère à Louis Carrier, font maintenance partie de la collection Birks d'orfèvrerie canadienne. On y retrouve six petits médaillons de forme ovale (fig. 120), trois plus grands de forme triangulaire (fig. 129 et 134) et deux autres de forme circulaire (fig. 137 et 138). Ces moules proviennent de l'atelier de Sasseville, Lespérance, Lafrance, qui tous trois les utilisent abondamment dans leurs œuvres. Tous les moules semblent dater du milieu du XIXe siècle, sauf celui de la grande crucifixion circulaire avec les deux anges adorateurs qui est nettement plus tardif par son style. On retrouve également sur les œuvres de Sasseville plusieurs autres sujets dont on ne conserve pas les moules. Lespérance et Lafrance ont eux-mêmes ajoutés plusieurs sujets à ceux de Sasseville, souvent d'un style plus tardif. La quantité d'œuvres ornées de ces médaillons et la multitude des sujets illustrés fournirait le sujet d'une étude dont l'ampleur serait considérable et où il faudrait faire les rapports entre la sculpture, l'orfèvrerie, la peinture et la gravure tant au niveau iconographique que stylistique.

Sasseville, qui devait concurrencer les importations d'orfèvrerie française, fit valoir dans des articles de journaux qu'il n'utilisait pas des procédés mécaniques tels que le balancier et le mouton, en usage dans les ateliers d'orfèvres parisiens au début du XIXe siècle. Dans cette technique on frappait à froid, avec de puissantes machines, les minces feuilles d'argent appelées à recevoir les décorations ou médaillons voulus. Les œuvres produites par ce procédé rapide et économique étaient minces et fragiles. C'est précisément à ces œuvres d'importations que s'attaque un article paru en 1850 au sujet d'un calice historié de Sasseville:

> Nous avons vu, hier, un calice, que M. Sasseville venait d'achever et qu'il envoyait le même jour à l'exposition de Montréal. Le vase est d'un superbe travail et d'un beau fini, la dorure à l'intérieur et à l'extérieur de la coupe est substantielle et d'une belle couleur; le travail de ciselure sur la fausse coupe fait honneur à l'artiste qui a parfaitement reproduit des grappes de raisins et des feuilles de vigne, des épis et d'autres produits de la terre. On remarque de pareilles ciselures sur le pied qui est riche et se coordonne parfaitement avec la coupe. Sur le pied et sur la coupe sont reproduits en beaux médaillons, les divers incidents de la passion.

Il faut remarquer que les divers ornements n'ont pas été frappés dans un moule comme à peu près tous les vases sacrés ou autres qui viennent d'Europe, qu'ils sont le produit du marteau et du ciseau. Il y a entre le vase moulé et le vase ciselé, pour le prix et la valeur artistique, la différence qui existe entre une statue ciselée et une statue moulée parce que dans l'un il y a le travail et le talent de l'artiste, tandis qu'il n'y a dans l'autre, qu'une masse moulée d'un seul coup de l'instrument façonneur.

Cette distinction qu'ont toujours faite les connaisseurs se répétait tout récemment dans un journal parisien précisément en rapport à un vase d'église. Mais les vases faits au marteau ont sur les autres l'avantage de la solidité et conséquemment de la durée, pour la raison toute simple que les instruments sont impuissants à donner leurs empreintes aux lames de métal de l'épaisseur qui garantit la solidité et la durée. Tous ceux qui ont eu la double expérience des uns et des autres peuvent dire si nous affirmons ce qui n'est pas vrai.

Que ceux qui verront ce calice et qui ont vu le nouvel ostensoir de Notre-Dame, fait par le même artiste, disent s'il est besoin d'aller demander des vases sacrés ou d'autres vases d'une valeur quelconque à l'industrie étrangère. Nous ne connaissons pas les orfèvres de Montreal, nous ne savons pas non plus comment agissent le clergé et les fabriques de Montréal, mais nous devons rendre ici cette justice au clergé et aux fabriques du diocèse de Québec, de dire, que instruits d'ailleurs par l'expérience, ils ne font presque pas de commandes à l'étranger. Il y a telles personnes que nous connaissons qui ont essayé de l'importation et qui

> la changeraient volontiers pour des produits de même nature sortis de l'atelier de M. Sasseville, car ce monsieur vous fera un calice, un ciboire ou un ostensoir, aussi riche de ciselure que vous le désirez et vous n'aurez pas la douleur sous une main oublieuse et lourde, de la voir s'affaiser sur sa base, et se briser. Nous espérons que l'œuvre de M. Sasseville sera arrivée à temps pour être admise au concours. (*Le Journal de Québec*, 17 octobre 1850, p. 2)

Comme on le voit, cet article s'attaque directement aux techniques à froid du balancier et du mouton. La technique de la fonte procure des médaillons épais et solides, qui doivent par la suite être intégrés « au ciseau et au marteau » à l'ensemble de l'œuvre. Un autre article, paru deux ans plus tard, admet sans équivoque que les médaillons en bas-reliefs sont fabriqués à partir de moules:

> Nous avons visité chez M. Sasseville, orfèvre de Québec, un superbe ostensoire (sic) d'argent massif appartenant à la cathédrale et que M. Pierre Lespérance vient de dorer par la galvanoplastie. Ce beau morceau d'orfèvrerie est sorti de l'atelier de M. Sasseville il y a six ans. Tout le travail est fait au repoussé à l'exception de quelques figurines d'anges en bas-reliefs qui ont été frappées. (*Le Journal de Québec*, 27 mars 1858, p. 2)

L'atelier de Sasseville était donc au fait non seulement des plus récentes techniques, mais aussi de nouveaux styles. La galvanoplastie, procédé de dorure par dépôt électrochimique, avait été inventée simultanément en France et en Angleterre en 1839. (Lanel, 1964, pp. 28-29).

En ce qui concerne la provenance de ces moules en laiton, on peut supposer qu'ils sont d'importation européenne.

Notons que le moule triangulaire de la *Crucifixion* porte une signature en bas à droite, qui est probablement celle du fabricant: « KISSING ». Seules des recherches approfondies nous permettront d'en connaître davantage. R. D.

7. Une étude complète de toutes les œuvres historiées de Sasseville serait extrêmement intéressante à faire et compléterait avantageusement nos connaissances sur l'iconographie religieuse de cette époque. Cette étude devrait nécessairement être complétée par l'analyse des œuvres de Pierre Lespérance et Ambroise Lafrance. Pour les besoins de la présente publication, nous nous limiterons principalement aux calices.

Bien que Laurent Amiot ne semble pas avoir utilisé de médaillons historiés, il leur avait cependant préparé la voie. En effet, plusieurs de ses œuvres sont décorées de médaillons ovales dans lesquels il inscrit des motifs végétaux dont la symbolique est liée à la passion du Christ et à la célébration eucharistique: blé, vigne, roseau. Le magnifique calice empire de la collection Birks (fig. 104) est d'un modèle identique à ceux que Morisset a photographié à Saint-Cuthbert, Saint-Martin et Loretteville. (IBC, dossier Amiot). On retrouve une utilisation similaire des médaillons dans le ciboire de gauche parmi les cinq de la collection Birks (fig. 95). La fausse coupe du ciboire central présente bien des médaillons historiés mais de fabrication tardive probablement par Lespérance ou Lafrance.

Pour en revenir aux calices de Sasseville, Morisset en a relevé plusieurs qui se comparent à celui de Cap-Santé. Rappelons que Sasseville a commencé à travailler à son propre compte en 1839 lorsqu'il a repris la boutique d'Amiot. En 1840, 41 et 42, il façonne trois calices pour les églises de Saint-Jean (Île d'Orléans) Saint-Nicolas (illustré dans *Héritage vivant de l'orfèvrerie, vingt pièces de la collection du Musée du Québec*, 1977, p. 27), et Bécancour, dont les formes générales s'apparentent à celui de Cap-Santé, sans toutefois être décorés de médaillons historiés. En 1845, Sasseville fabrique les calices de Cap-Santé et Neuville, qui sont tous les deux historiés. Les proportions de celui de Cap-Santé sont cependant plus agréables surtout le nœud en forme d'urne. Trois autres calices se comparent à celui de Cap-Santé: Saint-André (Kamouraska) (1849) Lotbinière (1851) et Sainte-Marie-de-Beauce (date inconnue) (IBC, dossier Sasseville). Le succès et la nouveauté de ce modèle n'ont cependant pas empêché Sasseville de fabriquer des objets d'un style éclectique, composé d'éléments traditionnels. Dans le calice de l'Ange-Gardien (fig. 105) exécuté en 1852 (aujourd'hui à la Galerie nationale du Canada), Sasseville utilise des médaillons historiés entrecoupés d'éléments végétaux très XIXe siècle, à côté d'un nœud godronné dans un style du milieu XVIIIe siècle. L'univers des formes dans les calices de Sasseville hérité de plusieurs traditions, se caractérise par sa variété et son éclectisme. Pierre Lespérance (fig. 108) et Ambroise Lafrance (fig. 107) ont utilisé le même modèle de calice. Les médaillons ovales de la *Foi*, (fig. 126), l'*Espérance* (fig. 127) et la *Charité* (fig. 128) sont différents. Les sujets de forme triangulaire sont cependant identiques, quoique le traitement que leur fait subir Lespérance dans le calice de la collection Birks est beaucoup moins habile que le travail soigné de Lafrance sur le calice de la Collection Birks, où la *Crucifixion* (fig. 131), l'*Adoration des Bergers* (fig. 133) et *la Mise au tombeau* (fig. 135) sont exécutées de main de maître. Lafrance a lui aussi succombé à l'éclectisme dans un calice de la collection Birks (fig. 109) où il allie des godrons XVIIIe sur la fausse coupe, aux motifs rais-de-cœur, typiques du milieu XIXe siècle sur ce fascinant nœud en forme d'urne. Morisset a en outre relevé des calices semblables de Lafrance à Sillery, Sainte-Agnès et Berthier-en-Bas. (IBC, dossier Lafrance). R. D.

8. Se reporter à nos commentaires de la page 59, note 3. R. D.

page 60

1. Selon nous, il faut plutôt chercher l'origine de ces scènes historiées dans l'orfèvrerie française du XIXe siècle. Les moules utilisés à l'atelier de Sasseville ont fort probablement été acquis à Paris, chez les fournisseurs des orfèvres. R. D.

2. Sasseville a très bien pu observer ce nœud en forme d'urne sur un ostensoir de l'orfèvre parisien Guillaume Loir, daté de 1731-1732, conservé au Séminaire de Québec (fig. 139). Cet ostensoir possède de plus un médaillon circulaire qui illustre la dernière scène. François Ranvoyzé a également fabriqué un ostensoir avec un nœud identique (illustré dans *Ranvoyzé*, 1968, n° 82.) Cette forme d'urne a également été utilisée dans les motifs décoratifs Louis XVI (voir illustration dans Alexander Speltz, *The styles of ornament*, Dover, New-York, 1959, p. 550, planche 343, fig. 2 et 6; p. 553, planche 346, fig. 4.; p. 561, planche 352, fig. 2 et 4). La forme spéciale de ce nœud a fortement inspiré Sasseville qui l'a transposé tel quel dans un bénitier conservé dans la collection Birks (fig. 140). Cette transposition n'est pas du tout étonnante puisqu'elle se

retrouve aussi dans les pièces d'orfèvrerie de style Louis XIV, ainsi que chez Lambert, Ranvoyzé et Amiot. Sasseville a même poussé la fantaisie jusqu'à transposer cette forme dans la coupe d'un calice (fig. 141). Aussi étrange qu'elle puisse nous paraître, le style particulier de cette coupe de calice est conforme aux modèles originaux dessinés par J. C. Delafosse (gravure de Berthault conservée à la BN, voir illustration dans *Les Grands Orfèvres*, p. 201), un des créateurs du style Louis XVI qui eut une influence considérable, selon Yves Bottineau, dans le dernier quart du XVIIIe siècle (*Les Grands orfèvres*, p. 199). Toujours selon Bottineau, le clergé, fort traditionnel dans ses goûts, tardait à assimiler les nouvelles modes. Sasseville n'était donc pas retardataire et suivait les courants stylistiques de l'orfèvrerie religieuse française en vogue dans les années 1840-1850. Les modèles utilisés par Lespérance et Lafrance (fig. 107) sont différents. R. D.

3. Le tableau attribué aux Carrache auquel Morisset se réfère ici, n'a rien en commun, sauf le sujet, avec la scène de l'*Adoration des bergers* que l'on retrouve sur la base du calice de Sasseville. L'on sait maintenant (voir note 6 de la p. 59) que Sasseville n'a pas réalisé ces motifs, mais a soudé à sa base des reliefs réalisés à partir de moules. En toute occurence, le tableau qui a été détruit dans l'incendie du 22 décembre 1922 à Notre-Dame de Québec, n'était pas des Carrache, mais d'après une œuvre de Guido Reni (1575-1642) dont l'original est conservé au Musée Brera à Milan. Joseph Légaré en a exécuté deux copies (Porter, 1978, p. 108, n°s 89 et 90). L'œuvre portait le n° 36 dans l'Inventaire Desjardins. L. L.

page 61

1. Donné de façon aussi vague ce commentaire est peu pertinent. Il existe plusieurs calices de grandes dimensions fabriqués par divers orfèvres (voir par exemple, fig. 107). La comparaison rigoureuse des dimensions reste à faire. L'étude des modèles, styles, formes et décorations est cependant beaucoup plus pertinente, donc plus urgente. R. D.

2. Nous partageons ce commentaire s'il s'applique à l'orfèvrerie produite au Québec. Comparé à l'orfèvrerie française, le calice n'a plus rien de neuf, puisqu'il s'inspire des styles et formes à la mode à Paris. Toutefois, nous devons reconnaître que le travail de Sasseville, exécuté selon les traditions artisanales, est habituellement d'une qualité très largement supérieure à celle des pièces d'orfèvrerie française de fabrication industrielle. R. D.

3. Nous sommes entièrement d'accord avec ce commentaire, surtout lorsqu'on compare ce calice aux autres de Sasseville exécutés sur le même modèle. R. D.

4. Ce commentaire veut conférer au calice un statut de noblesse qu'il ne peut pas posséder puisqu'au Québec il n'y a pas eu de prince ni d'aristocrate. R. D.

5. Ces deux qualificatifs sont très justes et s'appliquent très bien. R. D.

6. « Déconcertante » nous semble être un peu fort. R. D.

page 62

1. Il faut se rappeler que Sasseville avait produit d'autres calices de formes similaires. Ce n'est donc pas le premier jet, puisqu'il y a eu des essais préalables. R. D.

2. Grâce à la photographie à laquelle Morisset avait rendu hommage plus tôt (p. 44), l'auteur peut comparer un médaillon de quelques centimètres de hauteur, probablement d'origine européenne, comme le démontre Robert Derome (note 6 de la p. 59), avec un bas-relief de Germain Pilon. Morisset avait eu l'avantage d'examiner de près à Paris cette sculpture lors de ses études à l'École du Louvre (diplômé en 1934). La fonction, le médium, le traitement, l'échelle séparent de façon quasi irréconciliable ces deux œuvres. La « qualité d'esprit » et la « sensibilité frémissante » que l'auteur retrouve dans les deux sculptures sont l'œuvre d'un conservateur de musée imaginaire qui mise essentiellement sur la subjectivité et la culture visuelle du commentateur. L. L.

page 63

1. Il est intéressant de comparer l'*Espérance* de Baillairgé avec celle du médaillon de Sasseville (fig. 124). R. D.

2. Nous préférons à ce concept celui de « l'évolution », où la nature et les hommes se perfectionnent et évoluent de façon cyclique. R. D.

3. Se référer à notre annexe 3a. R. D.

4. Et un autre ciboire de plus grandes dimensions du même modèle (fig. 94), exécuté à l'atelier de l'orfèvre montréalais Robert Hendery qui, associé avec John Leslie, forma en 1887 la firme Hendery et Leslie. Cette firme fut vendue en 1899 à Henry Birks & Sons (Langdon, 1966, p. 83).
R. D.

5. Se reporter à notre commentaire en page 55, note 3.
R. D.

6. Nous partageons entièrement ce commentaire. R. D.

page 64

1. Ce texte de Morisset mériterait une analyse approfondie. En effet, il y exprime sa vision de notre « évolution nationale » (p. 65, ligne 23) artistique, tout en traçant un portrait moral de nos ancêtres. Ce texte nous en apprend davantage sur les idéologies véhiculées par Morisset que sur le passé lui-même. Fidèle à ses contemporains qui veulent préserver les traditions qui se perdent, Morisset prête à ses ancêtres le schéma suivant: 1. recevoir de ses devanciers un legs; 2. en conserver précieusement l'esprit; 3. le faire fructifier 4. le remettre à ses successeurs en capital et intérêts (p. 67, lignes 18 à 23). Les sculpteurs Philippe Hébert et Alfred Laliberté partageaient la même ambition en élevant sur nos places publiques des monuments de bronze aux héros de notre passé; les peintres Napoléon Bourassa, Eugène Hamel, Charles Huot et Suzor-Côté peignaient notre histoire avec les mêmes objectifs.

Morisset résume en deux mots son jugement sur les œuvres d'art de Cap-Santé: abondance et qualité (p. 64, ligne

8). Il est beaucoup plus intéressé à peindre le portrait moral de ses ancêtres. Sa vision est fortement influencée par le mouvement des arts et métiers, de l'artisanat, et de la valorisation des travaux manuels. Ce mouvement découle directement de la révolution industrielle, et de l'adaptation du monde artistique au mode de vie dans une société industrialisée. La plupart des artistes de la fin du XIXe et au début du XXe ont illustré par leurs œuvres le portrait robot que trace Morisset dans ce texte. À titre d'exemple citons Edmond-J. Massicotte et Alfred Laliberté.

Voici quelques éléments de ce portrait robot de nos ancêtres tel que tracé par Morisset: ingéniosité, labeur persévérant, sensibilité (p. 64, lignes 9 et 10); existence laborieuse (p. 66, lignes 9-10); vif amour du labeur quotidien, sens réaliste et profond de la continuité, droiture, loyale conscience (p. 66, lignes 23 à 26); sages et réfléchis (p. 67, ligne 6); logique paysanne, bien faire de petites choses (p. 67, lignes 11 à 13). Par ailleurs, voici l'objectif que poursuit Morisset en étudiant les œuvres d'art produites par nos ancêtres:

> En les faisant connaître par la plume et par l'image, j'ai l'espoir qu'on s'arrête parfois à les regarder longuement, avec une bienveillante curiosité; qu'on essaie généreusement de les comprendre [...] qu'on les aime et conserve avec beaucoup de respect et de piété, comme les biens les plus précieux de l'héritage de nos pères.

Morisset exprime en outre la méthode à suivre pour que l'historien d'art arrive à produire des études valables (p. 65, ligne 18, à p. 66 ligne 11). Morisset a repris la même idée avec une formulation un peu modifiée dans l'avant-propos de sa monographie sur Paul Lambert publée en 1945 (*Morisset*, 1945, pp. 6-7).

Cette apologie de l'histoire de l'art se termine sur un appel lucide et prophétique (qui peut encore s'appliquer aujourd'hui), à perdre « la singulière mauvaise habitude [...] de subordonner la vie entière de la nation à des querelles stériles. » (p. 66, lignes 12 à 15). R. D.

Appendice 1

La sculpture à l'église de Cap-Santé

Liste des sources par ordre chronologique comprenant la citation du texte original et la référence au document consulté, en regard de l'identification de l'œuvre.

BANCS — AUTEL — MARCHES — BALUSTRES

1719-1720
pour la façon de dix neuf bancs en cartes item pour la façon de l'autel, de ses marches, des balustres, de l'œuvre et autres petits ouvrages en argent sonant 68#
(Journal, 1714-1814, p. 6.)

CRÉDENCE

Mars 1736
Payé à Jean françois Godin p^{r} une crédence six livres cy 6#

(Journal, 1731-1751, p. 29.)

CHAIRE

Octobre 1737
plus p^{r} transporter la chaire de l'église chés ma Mere cy 7# 6^{s}

(Journal, 1731-1751, p. 40.)

TABERNACLE — CHANDELIER — CADRE D'AUTEL

13 avril 1738
Marché fait avec M.^{tre} Vaslin p^{r} Le tabernacle on luy doit cinq cents livres suiv. le billet qu'il en a plus p^{r} le chandelier du cierge pascal et p^{r} le cadre d'autel trente livres payé à M.^{tre} Vaslin p^{r} le chandelier et le cadre dix minots de bled cy 30#
(Journal, 1731-1751, p. 42.)

TABERNACLE

1738
p^{r} le tabernacle cent neuf livres dix sols cy 109# 10^{s}
(Journal, 1714-1812, p. 40.)

TABERNACLE

24 octobre 1738
Plus à M.tre Valin à compte du tabernacle cent neuf livres dix sols cy 109# 10s
(Journal, 1731-1751, p. 48.)

TABERNACLE

1739
pr le tabernacle cent neuf livres cy 109#
(Journal, 1714-1812, p. 41.)

TABERNACLE

Novembre 1739
payé à M.tre Valin cent neuf livres à compte du tabernacle cy 109#
(Journal, 1731-1751, p. 54.)

LUSTRES

18 février 1739
payé à Jean François Godin pr trois lustres douze francs cy 12 [francs]
(Journal, 1731-1751, p. 49.)

TABERNACLE

1740
pr achever le payement du tabernacle de l'église deux cens quatre vingt une livres dix sols cy 281# 10s
(Journal, 1714-1812, p. 43.)

TABERNACLE

27 octobre 1740
payé à m.tre Valin le quatre d'aoust dernier cent quatre vingt quatre livres dix sols à compte du tabernacle cy 184# 10s
(Journal, 1731-1751, p. 60.)

TABERNACLE

20 avril 1741
payé à M.tre Vâlin quatre vingt dix sept livres pour par-

faire le payemt du tabernacle comptes suiv. son marché que nous avons reçû & luy cy 97#
(Journal, 1731-1751, p. 62.)

AUTEL

1750

Dep. donné payé quinze francs à Mr Jean françois Godin p.[r] avoir rétabli L'autel Et aussi travaïl de menuiserie
(Journal, 1731-1751, p. 85.)

GRAND AUTEL

1768

Payé à différents particuliers tant pour ce qui a rapport à l'autel que pour autres dettes la somme de 1072#
(Journal, 1714-1812, n.p.)

GRAND AUTEL

1768

Deue de plus pour le grand autel tant pour de l'ouvrier que pour la position de cet autel nourriture pendant deux mois de l'ouvrier planches employées dans le sanctuaire et peinture appliquée à cet autel la somme de 1556#
(Journal, 1714-1812, n.p.)

GRAND AUTEL

1769

Payé à différents particuliers tant pour ce qui a rapport à l'autel que pour autres dettes concernant la bâtisse 1373#

(Journal, 1714-1812, n.p.)

GRAND AUTEL

1772

Pour dorure au grand autel 320#
(Journal, 1714-1812, n.p.)

PETIT AUTEL

1775

Pour le petit autel 400#
(Journal, 1714-1812, n.p.)

GRAND AUTEL

1776

Pour l'élévation du grand autel tant en planches que madriers, cloux et main d'œuvre 128#

(Journal, 1714-1812, n.p.)

PETIT AUTEL

1777

Pour dorure du petit autel 135#

(Journal, 1714-1812, n.p.)

CHAIRE

1779

Pour la chaire y compris la peinture et dorure 350#

(Journal, 1714-1812, n.p.)

GRANDES PORTES

1779

Pour peinture et dorure des grandes portes 160#

(Journal, 1714-1812, n.p.)

GRAND AUTEL

1780

Pour peinture et surcroit de dorure du grand autel 250#

Pour élévation du grand autel, dépensé 150#

(Journal, 1714-1812, n.p.)

JUBÉ

1783

Pour le jubé tant pour pierres planches madriers cloux balustrade Peinture or maind'œuvre et nourriture 1025#

(Journal, 1714-1812, n.p.)

AUTEL

1784

Pour deux petits autels en tombeau y compris la planche, Balustrade et peinture 520#

(Journal, 1714-1812, n.p.)

VOUTE — STATUES

1786

En outre pour or appliqué à la grande voûte et aux statues, peinture, huile & & et fer Blanc 1000#
(Journal, 1714-1812, n.p.)

BALUSTRADE

1790

Pour la Balustrade vis avis la sacristie y compris la peinture et main d'œuvre & nourriture 125#
(Journal, 1714-1812, n.p.)

RETABLE

1803

Payé à compte d'un retable à l'Architecte deux mil livres 2000#
(Journal, 1714-1812, n.p.)

VOÛTE

1805

Pour faire la voute du sanctuaire en soliveau, et la peinture Sept cent cinq livres 705#
(Journal, 1714-1812, n.p.)

TABERNACLE

1805

Pour le tabernacle trois cent soixante douze livres 372#
(Journal, 1714-1812, n.p.)

RETABLE

1805

payé à compte du retable à l'Architecte deux mils cent livres 2100#
(Journal, 1714-1812, n.p.)

RETABLE

1808

Payé à M. Quévillon pour le retable douze cent trente deux livres dix sols 1232# 10^{s}
(Journal, 1714-1812, n.p.)

RETABLE

1809
Pour parfaire payement du retable mil livres 1000#
(Journal, 1714-1812, n.p.)

COQ

1811
pour les cocs et La corde de la cloche soixante et douze livres 72#
(Journal, 1811-1841, [p. 4].)

JUBÉ — BALUSTRES

1813
pour ouvrage du jubé 707# 13s
pour ouvrage à L'Église 99# 12s
pour Bois des Balustres 144#
(R. C., 1812-1875, [p. 4].)

BALUSTRES

1814
Payé à L'ouvrier qui a fait les Balustres 456#
(R. C., 1812-1875, [p. 7].)

BANCS

1815
Payé pour la façon des Bancs de l'église 3372#
(R. C., 1812-1875, [p. 9].)

VOÛTE

1821
pour avoir fait nettoyer la voute 4# 16s
(Journal, 1811-1840, [p. 28].)

BALUSTRES — MARCHES — AUTEL — BANCS

1821
pour avoir fait blanchir et nétoyer l'intérieur de L'église, fait frotter les balustres, les marches de L'autel et les Sièges en bois franc, avec de l'huile de l'in 192#
(Journal, 1811-1841, [p. 28].)

JUBÉ — CHAIRE

1823

raccomodage des bancs du jubé; de la Chaire, et du pont pour aller à la voute de L'Église 9#

(Journal, 1811-1840, [p. 39].)

TABERNACLE — TABERNACLE DES CHAPELLES PETIT AUTEL

26 décembre 1825

[il est résolu dans une assemblée des marguilliers]

... qu'on feroit orner d'une nouvelle Sculpture et dorer le tabernacle du grand autel; qu'on feroit faire un autel dans chacune des chapelles de Ste Anne et de S.^{t} joachim, pour y mettre des devants d'autel peints et enfin un tabernacle pour chacune de ces chapelles.

(D. M., 1818-1858, [p. 20].)

CRUCIFIX DU BANC D'ŒUVRE

1830

payé pour raccommodage du crucifix de banc de L'œuvre 1# 10^{s}

(Journal, 1811-1840, [p. 77].)

CRUCIFIX DU BANC D'ŒUVRE

10 octobre 1835

payé pour netoyer le crucifix du banc de l'œuvre 0# 0^{s} 6^{d}

(Journal, 1811-1840, [p. 106].)

CRUCIFIX BOIS DORÉ

29 avril 1838

payé pour deux crucifix de bois doré, pour L'autel et les processions 2# 10^{s} 0^{d}

(Journal, 1811-1840, [p. 119].)

CRUCIFIX

27 août 1838

payé pour deux croix de crucifis et bâton d'une grande-croix 0# 3^{s} 9^{d}

payé pour cloux d'une croix, taraudés avec écroux 0# 2^{s} 6^{d}

(Journal, 1811, 1840, [p. 120].)

CRUCIFIX DU BANC D'ŒUVRE

29 août 1838
payé pour un crucifix avec la croix; pour le banc-d'œuvre
0# 15^{s} 0^{d}
(Journal, 1811-1840, [p. 120].)

CRUCIFIX

11 octobre 1838
payé pour peinture de deux croix, une grande avec baton, L'autre avec son pied, pour le maitre autel 0# 4^{s} 6^{d}
(Journal, 1811-1840, [p. 120].)

AUTEL

24 décembre 1841
payé en acompte à fr. Xavier hardy sur les ouvrages des deux autels neufs £1.5^{s}.0^{d}
(Journal, 1841-1861, p. 4.)

VOÛTE

12 août 1842
payé à f.^{r} X. hardy menuisier, pour ouvrage à la voute, à la couverture aux noues de l'Église et des tours et 2 lucarnes dans la voute £3.14^{s}.6^{d}
(Journal, 1841-1861, p. 6.)

TABERNACLES DES CHAPELLES

27 mars 1843
payé pour pointes de fer pour L'ouvrage des Tabernacles des chapelles £0.2^{s}.6^{d}
(Journal, 1841-1861, p. 14.)

TABERNACLE

28 octobre 1843
payé à Mr Leprohon, Le prix des deux tabernacles des chapelles, pour avoir fait et poser Les sculptures de L'un et de l'autre tabernacle, les avoir peinturé et doré ainsi

que les tabernacles, pour les deux. Le sculpteur a fourni, l'or et les peintures £30.0s.0d
(Journal, 1841-1861, p. 15.)

STATUE DE LA VIERGE

28 octobre 1843
payé pour dorure d'une Statue de la Ste vierge £0.15s.0d
(Journal, 1841-1861, p. 15.)

TABERNACLE

1 novembre 1843
(il est résolu unanimement lors d'une assemblée des marguilliers)
qu'on feroit faire un tabernacle pour le maitre autel, par Monsieur L. X. Leprohon Sculpteur conformément au plan présenté et suivant les conditions alors énoncées par M.r le Curé. deux Syndics, françois et jean derome dits descarreau ont été choisis en même tems par L'assemblée pour veiller à L'éxécution des conditions promises et convenues par L'ouvrier chargé d'éxécuté Le Sus-dit tabernacle le prix convenu pour ce tabernacle finis, doré dans les parties convenues, et posé sur L'autel par L'ouvrier lui-même, est de cent Livres cours actuel; payable le tiers en commençant l'ouvrage, les deux autres tiers, Lorsque L'ouvrage sera terminé fait au Cap Santé le 1er novembre 1843 en présence des témoins soussignés F. Gatien ptre françoi deromme Jean-Baptiste Deromme
(D. M., 1818-1857, [p. 66].)

TABERNACLE

16 novembre 1843
payé à Mr Leprohon Sculpteur, Le tiers convenu de lui payer sur le prix demandé par lui et accordé par L'assemblée des Marguilliers, sur l'ouvrage du grand Tabernacle pour le maître autel. L'ouvrage fini et doré et posé en place, devant couter £100 £33.6s.8d
(Journal, 1841-1861, p. 15.)

TABERNACLES DES CHAPELLES

21 novembre 1843
payé pour la pension des ouvriers qui ont doré et peinturé les tabernacles des chapelles, 29 jours à 30 sols par jour £1.16^{s}.3^{d}
(Journal, 1841-1861, p. 15.)

TABERNACLES DES CHAPELLES

21 novembre 1843
payé à fr. Xavier hardy menuisier, pour L'ouvrage fait par lui aux deux tabernacles des chapelles £5.11^{s}.0^{d}
(Journal, 1841-1861, p. 15.)

TABERNACLE — PETITS AUTELS —
TABERNACLES DES CHAPELLES

1843
Deux tabernacles, et frais aux petits autels 38# 12^{s} 3^{d}
A/C sur le grand tabernacle 33# 6^{s} 8^{d}
(R. C., 1812-1875, [p. 75].)

TABERNACLE

18 août 1844
(il est résolu dans une assemblée des marguilliers)
2° qu'on donneroit à Mr Leprohon sculpteur dix louis de plus que le prix qu'il devoit avoir pour le tabernacle du maître autel, pour lui payer l'ouvrage qu'il a fait de plus que ses conventions au dit tabernacle.
(D. M., 1818-1858, [p. 68].)

TABERNACLE

1844
Payé à Mr Leprohon 76# 13^{s} 4^{d}
(R. C., 1812-1875, [p. 77].)

STATUE DE L'ENFANT JÉSUS

22 mai 1848
1 statue de l'Enfant Jésus payé aux Dames de l'Hôpital-général 3# 5^{s} 0^{d}
(Journal, 1841-1861, p. 72.)

STATUE DE L'ENFANT JÉSUS

1848

1 statu de l'Enfant Jésus — 3# 5s 0d

(R. C., 1812-1875, [p. 85].)

STATUE DE ST-FRANÇOIS XAVIER

30 mai 1852

1 statue de St F. Xr a Allard — 0# 15s 0d

(Journal, 1841-1861, p. 102.)

NICHES DES STATUES DE LA FAÇADE

24 juin 1852

[Visite épiscopale de Mgr Archer]

Nous recommandons aux marguilliers de faire recrépir ou boiser (ce qui serait encore mieux) les niches des statues du portail de l'église.

(R. C., 1812-1875, [p. 89].)

HARMONIUM

1852

achat d'un harmonium — 10# 0s 0d

(R. C., 1812-1875, [p. 95].)

JUBÉ — BANCS — PRIE-DIEU

12 mars 1859

[Payé] à Moïse Marcotte pour ouvrage, bal/jubé £2.0s.0d

au même d'avant Jubé — £20.0s.0d

au même façon de 4 bancs de nef — £3.0s.0d

Do Do Do de 4 grilles et 4 prie Dieu — £1.10s.0d

(Journal, 1841-1861, p. 264.)

CHAIRE

20 avril 1859

[Payé] à Raphaël Giroux balance sur la chaire £25.0s.0d

(Journal, 1841-1861, p. 264.)

VOÛTE — CHASSIS

26 avril 1859

Payé à Moïse Marcotte son compte comme suit:

1859 Oct: 21, 11 vitres à $11^1/_2$ — £0.10^s.$6^1/_2{}^d$
" Nov: 13, changer les crochets des doubles châssis — £0.3^s.0^d
" " 28 faire 1 plate forme sur la voûte — £0.6^s.0^d
" " " fourniture de planche — £0.4^s.0^d
(Journal, 1841-1861, p. 270.)

CHASSIS

17 novembre 1859
[Payé] à Moïse Marcotte balance sur châssis — £5.14^s.8^d
(Journal, 1841-1861, p. 266.)

BANC D'ŒUVRE

1859
7 novembre [Payé] a/c à M. R. Giroux pour banc de l'œuvre — £37.7^s.6^d
17 novembre [Payé a/c] au même Do Do — £1.18^s.3^d
25 [Payé] balance au même Do Do — £4.14^s.3^d
£43.0^s.0^d

(Journal, 1841-1861, p. 266.)

PRIE-DIEU — CHAIRE

5 août 1860
[il est résolu unanimement à l'assemblée des marguilliers]
3° Que l'on donnera pour l'usage de l'église de Portneuf, les pupitres pour les chantres, les prie-Dieu, la vieille chaire, en un mot ce qui sera inutile à l'usage de l'église du Cap-Santé après que les réparations seront terminées; aussi les vieux effets d'ornements.
(D. M., 1858-1958, p. 43.)

VOÛTE

26 août 1860
[il est résolu unanimement à l'assemblée des marguilliers]
3° Que l'on fera dorer la voûte de l'église de l'argent que l'on empruntera de François Derome, junior;
(D. M., 1858-1958, p. 44.)

DÉCORATIONS DE PLÂTRE

1860

Payé à M. F. Blouin, pour décoration de l'intérieur de l'Église, terme de 1860, comme suit:

1860	juin	9	payé a/c	£ 25. 0s.0d
"	"	16	Do Do	1. 2 .6
"	Juillet	22	Do Do	15. 0 .0
"	Août	3	Do Do	10. 0 .0
"	"	19	Do Do	5.17 .6
"	"	25	Do Do	4. 0 .0
"	Septembre	7	Do Do	8.10 .0
"	"	"	Do Do	0.18 .0
"	"	23	Do Do	3. 0 .0
"	Do	29 & 5 Nov.	Do Do	2. 3 .9
"	Décembre	9	Do Do	2. 8 .0
"	"	11	Do Do	5.11 .6
"	"	13	Do Do	5.10 . 0
"	"	26	Do balance	10.18 .9
				£100. 0s.0d

(Journal, 1841-1861, p. 284.)

DÉCORATION DE L'ÉGLISE

1860

payé à M. Raphaël Giroux pour décoration de l'intérieur de l'église, terme de 1860 comme suit:

1860	Février	16	payé a/c		£ 1. 5s. 0d
"	Mars	29	"	"	0.17 . 6
"	Avril	14	"	"	5. 0 . 0
"	Do	15	"	"	0.15 . 0
"	Mai	7	"	"	20. 0 . 0
"	"	26	"	"	25. 0 . 0
"	Juin	18	"	"	4.10 . 0
"	"	25	"	"	5.10 . 0
"	"	16	"	"	3. 0 . 0
"	Juillet	2	"	"	10. 0 . 0
"	Do	2	"	"	1. 4 . 7
"	Octobre	15	"	"	3. 0 . 0
"	"	25	"	"	2. 0 . 0

”	Dec:	28	” ”	1.10 . 0
1861	Mars	16	” balance	15.17 .11
				£100. 0ˢ. 0ᵈ

(Journal, 1841-1861, p. 284.)

CHŒUR

10 mars 1861
[il est unanimement résolu à l'assemblée des marguilliers]
4° Chœur, le marché devant se régler plus tard avec le doreur — M. François Descarreaux devant fournir l'argent si la Fabrique ne peut s'en procurer
(D. M., 1858, 1958, p. 54.)

CHARPENTE DE REPOSOIR

26 mars 1861
petite charpente de reposoir à M.ʳ Giroux £0.2ˢ.6ᵈ
(Journal, 1841-1861, p. 302.)

GIROUX

2 décembre 1861
payé à Md Gaucher pour M. Giroux £ 7ˢ. 2ᵈ
(Journal, 1841-1861, p. 302.)

DORURE

29 juillet 1861
[Payé] à M. Raphaël Giroux pour dorure de l'église en 1861 comme suit

” payé a/c le 29 juillet	£29.11ˢ.3ᵈ
12 déc:/61 payé balance	2.18 . 9
25 Mars/62 à F. Derome $100 00/100	
qu'il avait prêtée pour dorure	25. 0 .0
	£57.10ˢ.0ᵈ
” ” ” payé pour intérêt sur ces $100 00/100	7ˢ.6ᵈ

(Journal, 1841-1861, p. 306.)

COMPTE, D'EXTRA — MARCHES —
GRANDES PORTES

1861
Compte d'extra pour Raphaël Giroux:

1 armoire faite, peinturée et posée	£ 2. 5^{s}.0^{d}
Défaire & relever les marches d'autel	£ 1.15^{s}.0^{d}
1 barre de fer fournie et posée dans la chapelle nord	£ 1.15^{s}.0^{d}
faire un passage au gros tuyau dans la charpente, la couverture; et avoir verni et posé le tuyau	£ 2. 0^{s}.0^{d}
avoir fait, peinturé et vernis les assemblages dans bas de l'Église, sur portail	£ 7.10^{s}.0^{d}
Avoir réparé, imité et vernis les portes du portail	£ 2.10^{s}.0^{d}
25 Février payé a/c	£10. 0^{s}.0^{d}
	£17.15^{s}.0^{d}
17 Nov: payé balance	£ 7.15^{s}.0^{d}
	£17.15^{s}.0^{d}

(Journal, 1841-1861, p. 310.)

DÉCORATIONS DE PLÂTRE

12 janvier 1862
Remis au Revd P. L. Lahaye pour autant qu'il avait payé en 1860 à F. Blouin, pour le terme échu le 25 Décembre 1861, pour les ouvrages en plâtre faits par lui dans l'église £75.0^{s}.0^{d}
(Journal, 1841-1861, p. 312.)

DÉCORATION DE L'ÉGLISE

18 mars 1862
Payé à la Fabrique de St Augustin, l'argent qu'elle avait prêté pour payer M. R. Giroux terme du 25 Décembre 1861 £75.0^{s}.0^{d}
Do Do a/c du terme de 1862 £6.0^{s}.0^{d}
et intérêt échu ce jour £1.2^{s}.6^{d}
(Journal, 1841-1861, p. 312.)

TABERNACLE

21 janvier 1865
Payé à compte du tabernacle £5.0^{s}.0^{d}
(Journal, 1864-1877, n.p.)

TABERNACLE

29 décembre 1865
Payé à compte sur la dorure du tabernacle £54.0^{s}.0^{d}
(Journal, 1864-1877, n.p.)

TABERNACLE

1865
Pour dorure du tabernacle £59.0^{s}.0^{d}
(R. C., 1812-1875, [p. 121].)

TABERNACLE

7 février 1866
Balance dûe sur la dorure du tabernacle
& cadre £34. 5^{s}.0^{d}
(Journal, 1864-1877, n.p.)

TABERNACLE

1866
Pour dorure du tabernacle £34.5^{s}.0^{d}
(R. C., 1812-1875, [p. 125].)

STATUE DE L'ENFANT JÉSUS

15 octobre 1867
Un enfant Jésus £3.0^{s}.0^{d}
(Journal, 1864-1877, n.p.)

STATUE DE L'ENFANT JÉSUS

21 décembre 1867
Niche pour l'enfant Jésus £1.12^{s}.0^{d}
(Journal, 1864-1877, n.p.)

MARCHES — GRAND AUTEL

30 novembre 1873
[il est décidé unanimement à une assemblée des marguilliers]

que l'on ferait agrandir le palier du grand autel, vu qu'il est trop étroit pour la commodité du service à l'autel, que l'on ferait abaisser les marches à au goût du curé, et que l'on ferait agrandir le sanctuaire.
(D. M., 1866-1908, [p. 11].)

RELIQUAIRE

1874
1 reliquaire $7.50
(D. M., 1866-1908, [p. 20].)

CHAPELLE DE ST-JOSEPH

8 avril 1877
[il est unanimement décidé à une assemblée des marguilliers]
2° que Monsieur le curé pourrait appliquer à la décoration de la nouvelle chapelle de S Joseph la somme de cent piastres de la fabrique
(D. M., 1866-1908, [p. 32].)

CHAPELLE DE ST-JOSEPH

7 août, 1877
Payé à D. Ouellet pour tabernacle de S Joseph $100.00
(Journal, 1864-1877, n.p.)

CHAPELLE DU SACRÉ-CŒUR

30 décembre 1877
[il est résolu à une assemblée des marguilliers]
1° à employer le revenu de la quête de l'Enfant Jésus à la décoration de la nouvelle chapelle du Sacré Cœur
2° qu'une somme de cent vingt à cent cinquante piastres payable en deux ans par moitiés égales, serait appliquée à la même chapelle du Sacré Cœur.
(D. M., 1866-1908, [p. 34].)

CHAPELLE DE ST-JOSEPH

1877
Payé pour la chapelle de S Joseph $100.00
(D. M., 1866-1908, [p. 40].)

CHAPELLE DU SACRÉ-CŒUR

7 juillet 1878
Bénédiction d'une statue du Sacré-Cœur par Mgr Turgeon]
(D. M., 1866-1908, [p. 43].)

CHAPELLE DU SACRÉ-CŒUR

1878
7 juin Payé à Moyse Marcotte chapelle du S. Cœur $25.00
5 Aout Payé à Moyse Marcotte pour S Cœur $15.00
(Journal, 1878-1902, n.p.)

CHAPELLE DE ST-JOSEPH

1878
Payé pour acquit de chapelle St Joseph $4.00
(Journal, 1878-1902, n.p.)

CHAPELLE DU SACRÉ-CŒUR

1878
Payé a/c pour chapelle du S. Cœur $85.50
(D. M., 1866-1908, [p. 59].)

HARMONIUM

23 mai 1879
Réparation de l'harmonium $10.50
(Journal, 1878-1902, n.p.)

ORGUE

9 novembre 1879
[Délibérations des marguilliers en vue de l'acquisition et de l'installation d'un orgue].
(D. M., 1866-1908, [p. 55].)

CHAPELLE DU SACRÉ-CŒUR

1879[dépenses]
Chapelle du Sacré Cœur $48.40

CHAPELLE DU SACRÉ-CŒUR

28 février 1880
Payé acquit a Moyse Marcotte pour chapelle du Sacré

Cœur $7.00
(Journal, 1878-1902, n.p.)

ORGUE

1880
17 Mai pay a/c à Napoléon Déry p[r] orgue $600.00
24 juillet Payé a/c à Nap Déry sur l'orgue $100.00
29 juillet Pay a/c sur l'orgue à Mr Déry $458.00
31 Aout Payé à Nap. Déry pour orgue $618.40
(Journal, 1878-1902, n.p.)

CHAPELLE DU SACRÉ-CŒUR

1880
Acquit chapelle du Sacré Cœur $7.00
(D. M., 1866-1908, [p. 69].)

ORGUE

1880
Payé pour l'orgue $1776.00
(D. M., 1866-1908, [p. 70].)

ORGUE

1 septembre 1881
Payé acquit à Nap Déry pour l'orgue $110.00
(Journal, 1878-1902, n.p.)

ORGUE

27 juin 1882
orgue réparé $6.00
(Journal, 1878-1902, n.p.)

PORTES VITRÉES

28 janvier 1882
Payé 2 portes vitrées pour chœur $28.00
(Journal, 1878-1902, n.p.)

PORTES VITRÉES

1882
Payé 2 portes vitrées au chœur $28.00
(D. M., 1866-1908, [p. 78].)

ORGUE

28 juillet 1884
Orgue réparé $4.00
(Journal, 1878-1902, n.p.)

GRAND AUTEL

24 novembre 1887
Payé à C. Falardeau pour réparations au Maitre-autel $6.58
(Journal, 1878-1902, n.p.)

ORGUE

25 juillet 1888
Payé Bernard et Allaire pour réparations à l'orgue $45.00
(Journal, 1878-1902, n.p.)

CROIX DU CIMETIÈRE

9 septembre 1888
[il a été résolu à une assemblé des marguilliers] de remplacer la croix actuelle par une nouvelle.
(D. M., 1866-1908, [p. 115].)

STATUE DE SAINT-PIERRE

18 Aout 1889
Piedestal pour la statuette de St-Pierre $5.00
(Journal, 1878-1902, n.p.)

CROIX DU CIMETIÈRE

25 août 1889
payé à Louis Jobin, statuaire, pour croix du cimetière avec crucifix $75.00
(Journal, 1878-1902, n.p.)

CROIX DU CIMETIÈRE

6 septembre 1889
4 cadres pour croix du cimetière $1.00
(Journal, 1878-1902, n.p.)

CROIX DU CIMETIÈRE

1889
Croix du cimetière avec Christ dore $75.00
(D. M., 1866-1908, [p. 128].)

CROIX DU CIMETIÈRE

1 novembre 1894
Payé au ferblantier pour ouvrage au pied de la croix du cimetière $3.65
(Journal, 1878-1902, n.p.)

CHÂSSE SAINTE-PHILOMÈNE

23 septembre 1894
1° Que M. le curé soit autorisé à faire préparer une châsse convenable dans le tombeau de l'autel de Ste. Anne pour le corps en cire de Ste. Philomène
2° Que des remerciements soient votés à Monsieur l'abbé G. Gaubin, ex-curé de St-Valentin, pour ce précieux cadeau qu'il a bien voulu faire à sa paroisse natale.
(D. M., 1866-1908, [p. 153].)

CHÂSSE SAINTE-PHILOMÈNE

21 janvier 1895
Glace pour chasse du corps de S. Philomène $13.84
(Journal, 1878-1902, n.p.)

CHÂSSE SAINTE-PHILOMÈNE

6 janvier 1896
a/c à D. Ouellet pour chasse de Ste Philomène $10.00
(Journal, 1878-1902, n.p.)

CHÂSSE SAINTE-PHILOMÈNE

14 janvier 1896
a/c à D. Ouellet architecte pour chasse de S. Philomène $10.00
(Journal, 1878-1902, n.p.)

OUELLET

16 mars 1896
a/c à D. Ouellet architecte $10.00
(Journal, 1878-1902, n.p.)

OUELLET

24 juillet 1896
a/c à D. Ouellet $7.00
(Journal, 1878-1902, n.p.)

OUELLET

26 juillet 1896
Balance du compte de D. Ouellet $10.24
(Journal, 1878-1902, n.p.)

LUSTRES

1906
[achat de trois lustres]
Le coût des dits lustres est de $305.00
dons reçu de 7 parois $88.00
dons reçu d'étrangers $122.00
[la fabrique] $165.00
(D. M., 1866-1908, [p. 182 a].)

Tableau synoptique 1

La sculpture et le mobilier à l'église de Cap-Santé

SIGLES ET SYMBOLES DU TABLEAU 1

D d	Dorure ou or appliqué
E	Élévation, installation, position
M	Marché, contrat fait avec l'ouvrier ou l'entrepreneur
P p	Paiement inscrit aux livres de comptes
R r	Réparation, peinture, nettoyage
T	Transport
N	Don
?	On ne sait pas

Note: Les lettres majuscules ou minuscules réfèrent à la même information avec la nuance suivante: on utilise la lettre minuscule lorsque la mention ne s'applique pas avec certitude à l'objet indiqué ou lorsque la mention réfère à une délibération des marguilliers.

Explication: Toutes les sources ci-incluses en annexe ont été compilées par ordre chronologique, ce qui donne ainsi l'évolution historique de la sculpture et du mobilier à l'église de Cap-Santé pour toutes les parties relevées. Le tableau se lit de gauche à droite pour connaître l'historique de chaque pièce donnée et de haut en bas pour les dates ou les correspondances entre les objets s'il y en a.

Tableau synoptique 1

La sculpture et le mobilier à l'église de Cap-Santé

Appendice 2

La peinture à l'église de Cap-Santé.

Liste des sources par ordre chronologique incluant la citation du texte original et la référence au document consulté, en regard de l'identification de l'œuvre.

ANONYME
Enfant-Jésus avec la sainte Famille, Anne et Joachim et la Trinité

1716-1718
Dépenses...
Item pour un tableau de la Ste Famille 100
(Journal, 1714-1812.)

Idem

1718
on acheta un tableau de la sainte famille, qui est probablement celui qui éxiste encore et placé actuellement au-dessus du banc des marguilliers. Ce tableau d'une excellente peinture, couta cent francs.
(Gatien, 1830, p. 15.)

ANONYME
Vierge à l'Enfant, saint Joseph et l'Enfant, E.-Jésus... Trinité, Annonciation, saint François de Sales, six gravures

23 avril 1747
Extrait de l'inventaire des effets, linges ornement &c (...) deux quadres dores, dans l'un, Est l'image de la S^{te}. Vierge Et dans l'autre, celle de S^{t}. Joseph; un Tableau de la s^{te}. famille. un petit tableau de l'annonciation Et, un de s^{t}. françois de Sales; Six petits quadres qui ont chacun leur image.
(Journal, 1731-1751, p. 76, repris dans Gatien, 1830, p. 49.)

ANONYME
E.-Jésus... Trinité

1749
Donné... au forgeron pour... pattes pour attacher le Tableau de la TS famille; ...le tout *seize* livres dix sols.
(Journal, 1731-1751, p. 84.)

Idem

1750
Dep. paÿé a M^{e}. Marchaterre forgeron *cent douze sols* tant pour raccommodage de ferrures de la cloche que pour du Charbon; Et trois livres pour honorer l'image de l'Enfant Jésu.
(Journal, 1731-1751, p. 85.)

1813
donné à Gigniac marguillier, pour le Tableau 63#12^{s}
(R. C., 1812-1875, [p. 4].)

DUSAULTCHOY
Sainte Famille

1817
Payé pour le Cadre du Tableau 13#3^{s}
Payé pour un Tableau, pour le Maître-autel 607#4^{s}
(R. C., 1812-1875, [p. 13].)

Idem

1817
Ce fut aussi dans le même tems que les marguilliers d'après L'offre qu'on leur fit d'un tableau de la Ste. famille pour le maitre autel, acquirent celui qu'on y voit encore en 1830. Ce tableau qui n'est point achevé et qui n'avoit été envoyé de france en ce pays que comme servant d'enveloppe à d'autres tableaux, leur fut vendu 25 Louis. Si les marguilliers avoient été obligés de se connoitre en peinture, ils seroient bien à blâmer, sans doute, pour une pareille acquisition.
(Gatien, 1830, p. 144.)

PLAMONDON
Miracles de sainte Anne
LÉGARÉ
Saint Joachim

26 décembre 1824
(résolu à l'assemblée des marguilliers) qu'on feroit faire deux tableaux pour les chapelles.
(D. M., 1818-1858, [p. 18].)

Saint Joseph et l'Enfant
PLAMONDON
Miracles de sainte Anne
accessoires pour les œuvres de PLAMONDON et LÉGARÉ
LÉGARÉ
Saint Joachim

1825
payé pour 4 cadres de petits tableaux pour la Sacristie 6#
Cadre rond pour le tableau de S[t]. joseph dans la Sacristie, payé à joseph piché pere 6#
payé pour le tableau neuf de Ste Anne avec Son cadre 480#
3 pièces d'indienne, pour les rideaux des Cadres, et pour couvrir le tabernacle. chaque pièce de 28 verges à 1/3 p. verge 126#
boiserie derrière les tableaux des deux chapelles 36# 6[s]
prix du tableau de Saint Joachim avec son cadre 480#
pour faire conduire en ville le peintre qui étoit venu apporter le tableau de St. joachim et le poser Sur Son cadre 9#
trois verges de ruban pour les rideaux des cadres 2# 5[s]
(Journal, 1811-1840, [pp. 50-51].)

PLAMONDON
Miracles de sainte Anne
LÉGARÉ
Saint Joachim

1825
Tableau neuf de Ste Anne avec Cadre 480#

rideaux pour les tableaux et pour le tabernacle 126#
Tableau neuf de St. joachim avec cadre 480#
(R. C., 1812-1875, [p. 31].)

PLAMONDON
Miracles de sainte Anne
LÉGARÉ
Saint Joachim
DUSAULTCHOY
Sainte Famille
3 tableaux pour le chœur par PLAMONDON

1825

En 1825, on fit faire les deux tableaux des chapelles. Celui de Sainte Anne fut fait par Mr Antoine Plamondon; Celui de St. Joachim par M[r]. joseph Légaré; l'un et l'autre jeunes peintres Canadiens et qui ne devoient qu'a leur talent naturel, leur habileté dans l'art si précieux de la peinture, n'ayant jamais jusqu'àlors été instruits des principes de cet art, par aucun maitre. Chacun de ces tablaux avec son cadre, couta vingt louis.

Peu de temps après avoir fait le tableau de la chapelle Sainte Anne, M[r]. Plamondon connoissant combien le tableau du maitre autel déplaisoit avec raison à M[r]. le curé, fit généreusement les propositions suivantes au sujet de ce tableau. Ce monsieur offroit de faire à la place du tableau du maitre autel dont on a déjà donné une idée dans ces mémoires, et du mérite duqu'el chacun peut juger en le voyant, une Copie fidèle du superbe tableau de l'adoration des mages, qui est à la chapelle des Messieurs du Séminaire de Québec, et dans les proportions qu'on voudroit déterminer, à Condition qu'on abandonneroit Le tableau actuel à grand personnages, qu'on lui donneroit trois louis en dédommagement pour les frais des matières de ce nouveau tableau qu'il feroit, enfin à condition qu'on lui donneroit la préférence pour faire les deux autres tableaux que l'on avoit résolu de faire peindre pour mettre dans les deux grands trumeaux du chœur, pour chacun des quels tableaux avec leurs cadres, on lui payeroit vingt Louis. les sujets de ces deux nouveaux tableaux, ainsi que leurs dimensions, étoient au choix de Mr. Le Curé. Ainsi pour trois Louis et le sacrifice peu pénible sans doute du tableau actuel du Maitre autel, on pouvoit se procurer une Copie Superbe d'un des plus magnifiques tableaux qu'il y ait certainement dans le pays. aucune proposition plus généreuse et plus à l'avantage de la paroisse, ne pouvoit être faite. Mr. le curé à sa part en sentait tout le prix; et il n'est personne sans doute, qui ne croye quelle ait du être recue avec empressement et avec reconnoissance. Cependant ces propositions si avantageuses, bien loin d'être agrées par l'assemblée de Messieurs les Marguilliers, furent rejettées avec dédain, pour ne pas dire avec indignation. changés tout à coup et comme par enchantement en admirateurs passionnés de leur tableau à figures gigantesques, et surtout charmés du brillant de ses couleurs qu'eux seuls y voyoient, et demandant avec une espèce d'inquiétude ironique, si le tableau qu'on leur offroit à la place du leur, seroit aussi brillant et aussi haut en couleur, car c'étoient les seules choses qu'ils paroissoient alors le plus apprécier; en un mot paraissant désespérer d'avoir jamais dans leur église, rien de si parfait en fait de peinture, que leur grand tableau; Messieurs les Marguilliers, rejettant les propositions de Mr. Plamondon, refuserent obstinement d'abandonner le chef-d'œuvre, qui orne leur maitre autel.

Cette conduite au reste, des marguiliers, n'étoit que l'effet des préventions et de la mauvaise humeur d'un petit nombre d'entre eux. Ceux qui le composoient avoient sçu faire partager aux aux (sic) autres la bizarrerie et le ridicule de leurs sentimens. il ne fut pas difficile à Mr. le Curé après cette assemblée orageuse et où L'on avoit parlé de la peinture d'une manière si originale, de faire voir aux autres marguilliers leur tort, et combien grand et de quelle nature étoit le ridicule dont ils venoient de se couvrir. ils eurent honte de s'être ainsi

laissés entrainer à des préjugés qui leur étoient étrangers. dans une autre assemblée qui eût lieu quelque tems après, ils remirent cette affaire en question témoignerent leur regret de s'être ainsi refusés à un avantage qui ne se représenteroit peut-être jamais; prierent M^{r}. Le Curé de renouer ses communications, avec M^{r}. Plamondon, consentant unanimement aux offres que ce Monsieur avoit eu la générosité de faire. il n'étoit plus tems: M^{r}. Plamondon sur le point de partir pour l'Europe, répondit que le moment de son départ devant avoir Lieu sous peu de jours, il lui étoit impossible d'accéder au vœu trop tardif des marguilliers. il eût néammoins la générosité de répondre encore, qu'à son retour d'Europe, s'il avoit lieu et que les choses fussent aussi dans le même état, c'est à dire, les deux tableaux du chœur à faire et celui du maitre autel à ôter, il rempliroit les conditions qu'il avoit d'abord proposées, les choses sont donc restées dans l'état où elles étoient et le grand tableau figure encore au dessus du maitre autel, objet de L'admiration des uns, objet de pitié pour les autres.
(Gatien, 1830, pp. 181-185.)

PLAMONDON
2 tableaux pour le chœur
2 parements d'autel

26 décembre 1825
(résolu à l'assemblée des marguilliers) qu'on ferait faire deux Tableaux pour mettre dans les deux grands trumeaux du chœur. (...)
qu'on ferait faire un autel dans chacune des chapelle de Ste Anne et de St. joachim, pour y mettre des devants d'autel peints.
(D. M., 1818-1857, [p. 20].)

1826
façon des rideaux des Cadres des chapelles et de la couverture du tabernacle 9#
(Journal, 1811-1840, [p. 57].)

LÉGARÉ
parements d'autel

26 juin 1836
payé pour cadres de devant d'autel et pour façon d'armoires dans La Sacristie 2# 7s 6d

28 janvier 1837
payé pour faire venir les cadres des devant-d'autel, de deschambault 0# 2s 6d

7 février 1837
payé pour la peinture des deux cadres des devant-d'autel 1# 5s 0d

19 juin 1837
payé à Mr. Légaré peintre, pour les devant d'autel peints sur toile, pour le noir 3£ pour les deux autres 6£ chaque 15# 0s 0d

payé au même, pour la boëte ou étoient enfermés les devant d'autel 0# 3s 0d

6 septembre 1837
payé pour 3 aulnes de toile du pays, pour la boëte des devant-d'autel 0# 4s 6d

8 septembre 1837
payé pour pates et crochets pour la sus-dite boëte 0# 1s 4 1/2d

(Journal, 1811-1840, [pp. 110, 115, 116].)

6 gravures

9 août 1843
payé pour Six grandes images, pour ces tabernacles (les nouveaux tabernacles de Leprohon) 6s
(Journal, 1841-1861, p. 14.)

Bannière

18 août 1846
Payé 1 étole, 1 bannière, 1 médaillon & fournitures 10# 18s 7d

(Journal, 1841-1861, p. 43.)

Chemin de croix de l'église

10 août 1855
(Mgr Joseph Signay autorise l'érection du chemin de la croix)
nous prêtre soussigné de la paroisse de Ste Catherine [Paisley], avons érigé le Chemin de la Croix dans la susdite Église de Cap santé, benissant tous et chacun des tableaux, et les croix, les fixant aux murs de la susdite Église, (...)
(D. M., 1818-1858, [pp. 77-78].)

Restauration
Sainte Famille

27 décembre 1857
(résolu à l'assemblée des marguilliers)
3 Qu'un tableau de la Sainte Famille soit réparé
(D. M., 1818-1858, [p. 173].)

Tableau pour le maitre-autel

30 décembre 1860
(résolu à l'assemblée des marguilliers)
5e Que la Quête de l'Enfant-Jesus de cette année sera appliquée pour l'achat d'un tableau pour placer derrière le maitre autel.
(D. M., 1858-1958, p. 49.)

FALARDEAU
Idem

13 janvier 1861
(résolu à l'assemblée des marguilliers)
3e Que le curé est autorisé à écrire au chevalier Ant. Falardeau, en Italie, au sujet d'un tableau à faire pour l'Église.
(D. M., 1858-1958, p. 52.)

PLAMONDON
Madone au diadème
DUSAULTCHOY
Sainte Famille

9 juin 1861
(résolu à l'assemblée des marguilliers)
1e Que l'on fera peindre, par sieur Antoine Plamondon, un tableau de la Ste Famille, pour servir d'ornement au dessus du maître autel; pour lequel tableau l'on paiera cent à cent-vingt piastres courant;
2e Que l'on donnera à l'église de Portneuf l'ancien tableau de la Ste Famille;
3e Que l'on fera faire un cadre pour le nouveau tableau;
(D. M., 1858-1958, p. 59.)

6 juillet 1863
Payé à Mr Giroux pour poser le tableau 1# 0s 0d
(Journal, 1853-1863, n.p.)

1865
Pour tableau du maître-autel 30# 4s 0d
(R. C., 1812-1875, [p. 121].)

PLAMONDON
Déposition de la croix, Mort de saint Joseph

12 septembre 1876
payé à Mr Ant. Plamondon pour 2 Tableaux $50.00
(Journal, 1864-1877, n.p.)

1876
Payé acquit à M. Plamondon pour tableaux $50.00
(D. M., 1866-1908, n.p.)

Restauration

27 mars 1878
peintures réparées $ 4.00

18 novembre 1878
Payé pour réparations des tableaux et devant d'autels $12.00

(Journal, 1878-1902, n.p.)

1878
cadres réparés $ 4.00
Tableaux d'eglise réparés $12.00
(D. M., 1866-1908, n.p.)

Bannière

4 novembre 1881
Payé une image pour bannière $ 1.50
(Journal, 1878-1902, n.p.)

1881
1 Image pour bannière $ 1.50
(D. M., 1866-1908, n.p.)

février 1881
Payée balance sur bannière St Jean Baptiste $ 7.50
(Journal, 1878-1902, n.p.)

1881
Bannière de St Jean Baptiste $ 7.50
(D. M., 1866-1908, n.p.)

Encadrements

1887
Cadres pour tableaux $ 2.20
(D. M., 1866-1908, n.p.)

24 février 1887
Grand rideau noir pour tableau du maitre autel (...) $14.80
(Journal, 1878-1902, n.p.)

Décor intérieur

1891-1893
[Le Journal, 1878-1902 et les D. M., 1866-1908 font état de travaux importants de rénovation intérieure (plancher de la nef, modification du style des bancs, travaux de peinture.)
Parmi les peintres mentionnés, notons: LACROIX, F. ROUSSEAU, J. HAMEL, M. PAQUIN et J. PAGÉ.]

Chemin de croix (sacristie)

12 novembre 1896
Crochets et broche pour le chemin de croix de la sacristie
$ 2.55

(Journal, 1878-1902, n.p.)

Gravure pour les fonts baptismaux

27 juin 1899
Image encadrée pour fonts baptismaux $ 1.25
(Journal, 1878-1902, n.p.)

Décor intérieur

31 décembre 1905
[résolu à l'assemblée des marguilliers de faire terminer les réparations intérieures de l'église, Monsieur J. H. A. MARCOUX, peintre décorateur de Jacques Cartier de Québec est nommé contracteur, évaluation des travaux $1,200 à $1,300.]
(D. M., 1866-1908, [p. 209].)

Appendice 3A

L'orfèvrerie à l'église de Cap-Santé

Liste des sources par ordre chronologique comprenant la citation du texte original et la référence au document consulté, en regard de l'identification de l'œuvre.

NOTE: La compilation systématique des informations tirées des livres de comptes nous fait découvrir que le trésor de Cap-Santé a été encore plus riche qu'on le pensait. En effet plusieurs objets en argent utilisés autrefois n'ont pas été retrouvés, ont été fondus ou donnés. D'autre part, quelques mentions démontrent l'attention et le soin consacrés au rangement et à l'entretien de l'orfèvrerie. Nous référons le lecteur à nos notes où nous avons déjà traité de la majorité des objets.

En 1818 l'abbé Gatien fit construire une armoire pour les vases sacrés afin d'y loger les nombreuses acquisitions faites depuis une quarantaine d'années. La même année on tenta une curieuse expérience, celle de loger la lampe du sanctuaire dans une armoire vitrée pratiquée dans le mur; ce fut un échec. Des mentions en 1819 et 1821 se réfèrent aussi à cette expérience. En 1819 on acheta une brosse pour entretenir l'argenterie, que l'on polissait avec du blanc d'espagne comme le démontre une mention en 1843. Une curieuse mention en 1819 demeure obscure: on a acheté de l'arcanson pour l'encensoir. L'abbé Claude Turmel nous a fourni un indice d'interprétation intéressant. Il se souvient avoir entendu dans la Beauce qu'on utilisait le mot « arcanson » à la place de « encens »[1]. D'autres mentions inusitées sont celles de 1833 qui se rapportent à l'achat de deux sacs et d'étoles pour les saintes huiles.

En 1843 plusieurs mentions se rapportent à l'achat d'un ostensoir « d'argent et doré en plein », importé de Paris, qui fut acquis par l'intermédiaire de Charles Hamel. À la même époque fut acquis un plat à burettes des orfèvres parisiens

Martin et Dejean, spécialisés en objets d'église et de table. Le motif en rais-de-cœur qui orne le marli de ce plat fut abondamment utilisé par Sasseville, Lafrance et Lespérance. On peut se démander si des burettes furent acquises en même temps que ce plat? Si c'est le cas, elles demeurent aussi introuvables que l'ostensoir. Sont également disparus les chandeliers ou candélabres acquis en 1842, et une piscine, objets qui avaient été réparés par Sasseville en 1859 et 1860. La mention concernant le reliquaire de Sasseville a été trouvée à la toute dernière minute, si bien que nous n'avons pas eu le temps de vérifier s'il était encore conservé à Cap-Santé. Quant au ciboire de Robert Hendery, aucune mention le concernant ne fut relevée dans les livres de comptes. Pour sa part, la cuiller à encens de Sasseville fut probablement acquise en 1839 lorsque cet orfèvre fut payé £2.5^{s} pour réparations à l'encensoir. Finalement, en 1890 on procéda à l'argenture ou la dorure de plusieurs objets, qui n'étaient pas tous d'argent massif, probablement par procédé de galvanoplastie. R. D.

1. Communication à l'auteur, 20 juin 1980, d'une entrevue avec MM. Adélard St-Hilaire et Donat St-Hilaire, marchand général, Saints-Anges de Beauce.

CIBOIRE

Août 1718 — Août 1719
item pour la façon d'un ciboire 123#
(Journal, 1714-1812, p. 5.)

BOITIER ET TROIS AMPOULES AUX SAINTES HUILES

Novembre 1731
plus p^{r}. des boëtes à S^{tes}. huiles tant p^{r}. la matière que p^{r}. partie de la façon cinquante 1s huit sols cy 50# 8^{s}
(Journal, 1731-1751, p. 4.)

BOITIER ET TROIS AMPOULES
AUX SAINTES HUILES

8 mars 1732
payé pour reste de la façon des boëtes à S^{tes}. huiles douze ls cy 12#
(Journal, 1731-1751, p. 5.)

CALICE

22 juin 1773
Autre visite de la paroisse en 1733, le 22 juin, par M. Jean-Pierre de Miniac, prêtre et vicaire général (...). Ordre de faire réparer (...) le calice, fendu en deux endroits.
(*Cap-Santé*, 1955, p. 51.)

CIBOIRE — CALICE

9 février 1738
Le 9 février 1738, M. Jean-Pierre de Miniac, chanoine et vicaire général, dans la visite qu'il fit (...). Il est ordonné (...) de faire faire une nouvelle coupe au calice et de faire dorer le ciboire.
(*Cap-Santé*, 1955, p. 53.)

CIBOIRE — CALICE

26 juin 1739
Le 26 juin 1739, dans une autre visite faite par le même M. Miniac, mêmes ordonnances et pour les mêmes sujets (...). Renouvelé aussi l'ordre au sujet du calice et du ciboire.
(*Cap-Santé*, 1955, p. 54.)

CALICE

1739
Pr faire la coupe du calice et la dorer vingt six livres sept sols six d. cy 26# 7^{s} 6^{d}
(Journal, 1714-1812, p. 41.)

CALICE

12 janvier 1740
Livré p^r le calice dix livres dix sep sols six d. à M^tre.
St Paul cy 10# 17^s 6^d
(Journal, 1731-1751, p. 54.)

CALICE

10 mars 1740
Payé à M^tre. S^t. Paul pour façon de la couppe du calice six francs cy 6#
plus à M^tre. Coton p^r dorer lad^e. coupe neuf livres dix sols cy 9# 10^s
(Journal, 1731-1751, p. 56.)

CIBOIRE — CALICE

1746
dix huit francs à l'orphêvre pour avoir retabli les pieds cassés des ciboires et calice de l'église 18#
(Journal, 1714-1812, p. 55.)

CIBOIRE — CALICE

1747
dix huit francs pour racommodage des pieds des vases sacrés calice et ciboire
(Journal, 1731-1751, p. 81.)

CIBOIRE — CALICE — PORTE-DIEU — BOITIER ET TROIS AMPOULES AUX SAINTES HUILES

23 avril 1747
inventaire des effets, linges, ornements &c. fait le 23 avril 1747 (...) un calice et un ciboire dargent et une petite boitte d'argent pour porter aux malade le St viatique (...), un boîtier d'argent contenant les trois petites boîtes (aussi d'argent) pour les ste huiles; le st crème l'huile des cathecumenes et celle des infirmes
(Journal, 1731-1751, p. 76.)

BURETTES

1770
Pour une paire de burettes 60#
(Journal, 1714-1812, n.p.)

ENCENSOIR

1793
Pour encensoir d'argent 350#
(Journal, 1714-1812, n.p.)

BENITIER

1794
Pour un bénitier d'argent 540#
(Journal, 1714-1812, n.p.)

LAMPE

1795
Pour une lampe d'argent, douze cens livres cy 1200#
(Journal, 1714-1812, n.p.)

BURETTES

1795
p.burettes d'argent cent cinquante six livres cy 156#
(Journal, 1714-1812, n.p.)

CIBOIRE — CALICE

1801
Payé à l'orfevre pour un ciboire et calice sept cens soixante douze liv 772#
(Journal, 1714-1812, n.p.)

AIGUIÈRE BAPTISMALE

1804
petit pot d'argent pour les fonts baptismaux trente livres 30#
(Journal, 1714-1812, n.p.)

ARMOIRE

1818

pour un vestiaire pour serrer les ornements et une armoire pour les vases sacrés && 254# 4^{d}

(Journal, 1811-1840, [p.15].)

LAMPE

1818

payé pour le cadre posé devant la lampe, pour la vitre du dit C. 2# 8^{d}

payé pour la peinture et dorure du dit cadre 9#

(Journal, 1811-1840, [p. 16].)

LAMPE

1818

on fit enfin des essais pour mettre la lampe qui doit bruler devant le St. Sacrement, dans une armoire pratiquée dans l'epaisseur du mur, afin d'éviter l'inconvénient de la fumée; mais les difficultés qu'on a trouvées dans la construction du mur même qui est fait de gros caillous, ont empêché de réussir et de parvenir à la fin qu'on se proposoit. La lampe néanmoins est restée depuis dans cette espèce d'armoire qu'on pratiqua alors dans le mur.

(Gatien, 1830, p. 152.)

ENCENSOIR

1819

arcanson, pour l'encensoir 5# 3^{s}

(Journal, 1811-1840, [p.19].)

LAMPE

1819

pour toile, pour essuis-mains, pour la lampe 0# 18^{s}

(Journal, 1811-1840, [p.20].)

ARGENTERIE

1819

pour une petite Brosse, pour l'argenterie 1# 4^{s}

(Journal, 1811-1840, [p.20].)

LAMPE

1812

boëte et conduit en bois pour la lampe 8#

(Journal, 1811-1840, [p.28].)

ENCENSOIR — NAVETTE

1822

Pour un encensoir neuf avec la navette, qui coûte £25. le marguillier n'a déboursé que £19. le reste se trouve payé par la vieille encensoir donnée à Mr Amiot en payement 456#

(Journal, 1811-1840, [p.32].)

ENCENSOIR — NAVETTE

1822

Encensoir et navette, neufs 456#

(R. C., 1812-1875, [p. 25].)

BURETTES — PLATS

1822

pour des burettes neuves avec le bassin 96#

le marguillier a donné pour la valeur de £5 en vieille argenterie, en sus des 96# en espèces

(Journal, 1811-1840, [p. 33].)

ENCENSOIR

1826

racommodage de L'encensoir 10# 16s

(Journal, 1811-1840, [p. 56].)

BURETTES

1827

payé pour faire racommoder les burettes 2# 8s

(Journal, 1811-1840, [p. 64].)

BOITIER AUX SAINTES HUILES

1828

payé pour une boëte neuve, pour les Saintes huiles

(Journal, 1811-1840, [p. 67].) £496#

BOITIER AUX SAINTES HUILES

1828

nouvelle boëte aux Saintes huiles 96#

(R. C., 1812-1875, [p. 37].)

ENCENSOIR

1833

payé pour faire raccomoder l'encensoir £0.6^s.0^d

(Journal, 1811-1840, [p. 93].)

BOITIER ET AMPOULES AUX SAINTES HUILES

10 novembre 1833

deux sacs pour les Saintes huiles et pour porter le St. viatique, un 12^s l'autre 17^s £1.7^s.0^d

(Journal, 1811-1840, [p. 94].)

BOITIER ET AMPOULES AUX SAINTES HUILES

13 novembre 1833

4 verges de gros de naple violet, pour Étoles, pour les S^{tes}. huiles £0.16^s.0^d

(Journal, 1811-1840, [p. 94].)

CIBOIRE

15 juillet 1838

payé pour la dorure du petit ciboire £1.10^s.0^d

(Journal, 1811-1840, [p. 120].)

SASSEVILLE

1839

Payé à Mr Sasseville £2.5^s.0^d

(R.C., 1812-1875, [p. 61].)

ENCENSOIR

23 juillet 1839

payé selon le compte de Mr. Sasseville pour raccommodage de l'encensoir £2.5^s.0^d

(Journal, 1839-1843, [p. 5].)

ENCENSOIR

23 juillet 1839
payé à M^{r}. Sasseville pour raccommodage de L'encensoir
£2.5^{s}.0^{d}
(Journal, 1811-1840, [p. 125].)

OSTENSOIR

1843
Livré au marguillier de 1843 pour former la somme destinée à l'achat de l'ostensoir demandé de paris
£22.15^{s}.0^{d}
(Journal, 1811-1840, [p. 123a].)

OSTENSOIR

1843
Ostensoir £38.0^{s}.0^{d}
(R. C., 1812-1875, [p. 75].)

CIBOIRE

18 février 1843
payé pour faire raccommoder le couvercle du ciboire
£0.7^{s}.6^{d}
(Journal, 1841-1861, p. 14.)

ARGENTERIES

7 mars 1843
payé pour blanc despagne, pour nettoier les argenteries
£0.0^{s}.10^{d}
(Journal, 1841-1861, p. 14.)

OSTENSOIR

18 mai 1843
le 18 mai 1843, livré en acomptes, sur la reddition de ses comptes à Étienne Bédard, pour former la somme destinées à l'achât de l'ostensoir demandé à paris, par M^{r}. charles hamel £22.15^{s}.0^{d}
(Journal, 1811-1840, [p. 126].)

OSTENSOIR

18 mai 1843

le 18 mai 1843, livré en acomptes, sur la reddition de ses comptes à Étienne Bedard, pour former la somme destinées à l'achât de l'ostensoir demandé à paris, par M^{r}. charles hamel £22.15^{s}.0^{d}

(Journal, 1811-1840, [p. 126].)

OSTENSOIR

18 mai 1843

Livré le 18 mai 1843, à Étienne Bédard, pour l'achat de L'ostensoir demandé par M^{r}. hamel £22.15^{s}.0^{d}

(Journal, 1839-1843, [p. 11].)

OSTENSOIR

18 mai 1843

livré à Étienne Bedard, pour former la somme destinée à l'achat de l'ostensoir neuf demandé à paris par M^{r}. charles hamel £8.5^{s}.0^{d}

(Journal, 1841-1861, p. 4.)

OSTENSOIR

29 octobre 1843

payé le prix de l'ostensoir neuf, d'argent et doré en plein £38.0^{s}.0^{d}

(Journal, 1841-1861, p. 15.)

RELIQUAIRE

20 décembre 1843

payé à M^{r}. Sasseville, pour avoir fait un reliquaire d'argent, pour mettre la précieuse relique de Sainte anne, offerte et donnée à la paroisse par Monseigneur Turgeon, pour la chapelle S^{te}. anne £1.0^{s}.0^{d}

(Journal, 1841-1861, p. 16.)

RELIQUAIRE

26 décembre 1843

payé à M^{r}. Leprohon, pour faire faire par lui, un reliquaire en bois, sculpté et doré, pour mettre le

reliquaire d'argent contenant la relique de Sainte Anne
donnée par Monseigneur Turgeon £1.5^{s}.0^{d}
(Journal, 1841-1861, p. 16.)

SASSEVILLE

1845
Payé chez M^{r}. Sasseville £52.11^{s}.3^{d}
(R.C., 1812-1875, [p. 79].)

CHANDELIERS

1847
2 chandeliers à branches d'argent £9.0^{s}.0^{d}
(R.C., 1812-1875, [p. 83].)

PISCINE

2 juin 1859
Reparation de la petite piscine (Sasseville) £0.1^{s}.3^{d}
(Journal, 1841-1861, p. 260.)

PISCINE

2 juin 1859
reparation de la petite piscine (Sasseville) £0.1^{s}.3^{d}
(Journal, 1853-1863, n.p.)

CANDELABRE

14 février 1860
candelabre réparé (Sasseville) £0.2^{s}.6^{d}
(Journal, 1841-1861, p. 286.)

CANDELABRE

14 février 1860
candelabre réparé (Sasseville) £0.2^{s}.6^{d}
(Journal, 1853-1863, n.p.)

ENCENSOIR

29 mai 1865
Réparation à l'encensoir d'argent p £0.1^{s}.3^{d}
(Journal, 1864-1877, n.p.)

BURETTES

1 juillet 1865
Couvercles pausés aux burettes p £0.14^{s}.0^{d}
(Journal, 1864-1877, n.p.)

CIBOIRE

25 juin 1866
Réparation à un ciboire p £0.5^{s}.0^{d}
(Journal, 1864-1877, n.p.)

CALICE

7 juillet 1866
Un calice redoré p £1.15^{s}.0^{d}
(Journal, 1864-1877, n.p.)

BURETTES

20 septembre 1869
Une paire de burettes (en mauvaise pièces d'argent $12
+ p £3.10^{s}.0^{d}
(Journal, 1864-1877, n.p.)

RELIQUAIRE

1 janvier 1871
Reparation au reliquaire de Ste Anne p £0.0^{s}.6^{d}
(Journal, 1864-1877, n.p.)

BURETTE

1873
Burette réparée, savoin, empoi, corde 6.49^{1}/_{2}$
(R. C., 1812-1875, [p. 135].)

BURETTE

19 mai 1873
Réparations à une burette p £0.1^{s}.6^{d}
(Journal, 1864-1877, n.p.)

ENCENSOIR — CIBOIRE

1875
Encensoir et ciboire réparés $8.25
(D. M., 1866-1908, [p. 23].)

ENCENSOIR — CIBOIRE

18 septembre 1875
Encensoir repare $4. Ciboire réparé $4.25 p $8.25
(Journal, 1864-1877, n.p.)

BURETTES

1876
Acquit pour 1 paire de burettes $18.00
(D. M., 1866-1908, [p. 37].)

BURETTES

16 mai 1876
Pay acquit pour une paire de burettes p $18.00
(Journal, 1864-1877, n.p.)

CALICE

27 mars 1883
Payé Calice réparé $0.50
(Journal, 1878-1902, n.p.)

ENCENSOIR — PATÈNE — RELIQUAIRE

1890
Encensoir, patène et reliquaires argentés à neuf $7.00
(D. M., 1866-1908, [p. 134].)

RELIQUAIRE

8 juin 1890
Reparation et argenture du reliquaire de Ste Anne $1.50
(Journal, 1878-1902, n.p.)

PATÈNE

8 juin 1890
Payé pour dorure d'une patène $2.50
(Journal, 1878-1902, n.p.)

ENCENSOIR

8 juin 1890
payé pour argenture d'un encensoir $3.00
(Journal, 1878-1902, n.p.)

PATÈNE

14 juin 1890

Payé pour dorure d'une patène	$2.50

(Journal, 1878-1902, n.p.)

ENCENSOIR

14 juin 1890

Payé pour faire argenter un encensoir	$3.00

(Journal, 1878-1890, n.p.)

Tableau 2

L'orfèvrerie à l'église de Cap-Santé

SIGLES ET SYMBOLES DES TABLEAUX 2 ET 3

A a	Achat, acquisition
B	Brisé ou détérioré
C	Cuivre
D d	Doré ou dorure
F f	Fondu et refait, ou remis en paiement à l'orfèvre lors de l'acquisition d'un nouvel objet
G g	Argenté ou réargenté
I	Inventorié ou mentionné à l'inventaire
L	Laiton
N	Don
P p	Paiement inscrit aux livres de comptes
R r	Réparation ou réfection
?	On ne sait pas

Note: Les lettres majuscules ou minuscules réfèrent à la même information avec la nuance suivante: on utilise la lettre minuscule lorsqu'on n'est pas sûr que cette information s'applique sans aucun doute possible à cet objet.

	17													18					
	18/19	31	32	33	38	39	40	46	47	70	93	94	95	01	04	22	26	27	2
1. Ciboire	A				D	D		R	I										
2. Boîtier et 3 ampoules		A	P						I										
3. Calice				B	B	B	R	R	I										
4. Porte-Dieu									I										
5. Burettes										A						f			
6. Encensoir											A					F			
7. Bénitier												A							
8. Lampe													A						
9. Burettes													A			f			
10. Ciboire														A					
11. Calice														A					
12. Aiguiere baptismale															A				
13. Encensoir																A	R		
14. Navette																A			
15. Burettes																A	R		
16. Plat à burettes																A			
17. Boîtier & ampoules																		A	
18. Ostensoir																			
19. Reliquaire																			
20. Calice																			
21. Ciboire																			
22. Chandeliers																			
23. Piscine																			
24. Burettes																			
25. Burettes																			
26. Patène																			
27. Patène																			
28. Ciboire																			
29. Cuiller à encens																			
30. Plat à burettes																			
	18/19	31	32	33	38	39	40	46	47	70	93	94	95	01	04	22	26	27	2

				18											19		
9	43	45	47	59	60	65	66	69	71	73	75	76	83	90	37	80	
	r						r				r						1. ?
																	2. ? fondu Cf 17
							d						r				3. ?
																	4. ?
																	5. ? fondues Cf 15, 16
																	6. ? fondu Cf 13
															I	I	7. Amiot, L.
															I	I	8. Amiot, L.
																	9. fondues Cf 15, 16
	r						r				r					I	10. Amiot, L.
							d						r		I	I	11. Amiot, L.
															I	I	12. Amiot, L.
						R					R			g	I	I	13. Amiot, L.
															I	I	14. Amiot, L.
						R				r							15. ? (Amiot, L.); Lespérance
															I	I	16. Amiot, L.
															I	I	17. Amiot, L.
	A																18. ? (Paris)
	A								R					R			19. Sasseville, F.
		A					d						r		I	I	20. Sasseville, F.
		A					r				r				I	I	21. Sasseville, F.
			A		R												22. ?
				R													23. ?
								A		r					I	I	24. ? ou Lespérance, P.
												A			I	I	25. ? ou Lespérance, P.
														D			26. ?
														G			27. ?
																I	28. Hendery, R.
																I	29. Sasseville, F.
																I	30. Martin et Dejean
9	43	45	47	59	60	65	66	69	71	73	75	76	83	90	37	80	
				18											19		

Explication:
Toutes les sources ci-incluses en annexe ont été compilées par ordre chronologique, ce qui nous donne ainsi l'évolution historique du trésor d'orfèvrerie de Cap-Santé pour tous les objets relevés. Le tableau se lit de gauche à droite pour connaître l'historique de chaque objet donné, et de haut en bas pour les dates ou les correspondances entre les objets lorsqu'il y en a.

Appendice 3B

Les objets du culte en métaux autres que l'argent à l'église de Cap-Santé.

Liste des sources par ordre chronologique comprenant la citation du texte original et la référence au document consulté, en regard de l'identification de l'œuvre.

Plusieurs mentions des livres de comptes concernent les mêmes types d'objets que ceux fabriqués en argent. La majorité des objets groupés sur ce tableau synoptique sont fabriqués en métaux divers (cuivre, fer blanc, étain, laiton), parfois argentés ou dorés. Pour plusieurs objets cependant, on ne connaît pas le matériau. Ils ont été tout de même inclus au tableau pour fins de comparaison avec l'orfèvrerie.

La fabrique possédait deux objets liturgiques qui n'ont pas été énumérés dans l'inventaire de 1747. Une lampe du sanctuaire, avec deux verres, avait été acquise en septembre 1731. Achetée à Paris elle avait été transportée via La Rochelle. Parmi les nombreuses mentions concernant l'achat d'huile pour la lampe, nous avons retenu celles de 1732 et 1743. Un bénitier, dont on ne connaît pas la date d'acquisition, a été réparé en février 1743. L'inventaire de 1747 nous fait connaître trois autres objets: un ostensoir de cuivre doré, deux petits chandeliers de cuivre et deux vieilles burettes. Deux ans plus tard, on a levé une quête pour l'ostensoir par laquelle on a recueilli 64# $2^{s}1/2$. Voulait-on acheter un nouvel ostensoir, ou finir de payer celui qu'on possédait déjà? Est-ce le même ostensoir qui fut réparé en janvier 1831, puisque l'ostensoir d'argent ne fut acquis qu'en 1843 (Annexe 3A, no 18)?

Parmi les nombreuses mentions qui parlent par elle-mêmes, retenons l'acquisition de trois petites boîtes en fer blanc pour les saintes huiles en 1823. À l'inventaire de 1747, on possédait un boîtier et trois ampoules d'argent. Amiot en a fabriqué de nouvelles en 1828 (Annexe 3A, no 17). L'acquisition d'ampoules en fer blanc en 1823 semble donc être une solution passagère. On a acquis d'autres ampoules le 27 mars 1861. La même réflexion peut s'appliquer au porte-dieu d'argent, inventorié en 1747, puisqu'on a acquis deux porte-dieu en 1834 et un autre en 1873.

Toutefois, l'acquisition de chandeliers et crucifix en cuivre argenté demeure l'événement le plus marquant. On en a fait grand cas, prenant un soin méticuleux à leur construire des armoires, confectionner des housses, et préparer leurs souches. Ces objets furent probablement importés.

D'autres objets vinrent également s'ajouter à ceux déjà existant en argent: encensoirs, goupillons, reliquaires. Terminons par le calice et le ciboire donnés en 1916 par l'abbé Mendoza Bernard, sur lesquels Morisset portait un jugement sévère. R. D.

LAMPE

Septembre 1731
Reçû p^{r}. les cent francs que Mg^{r}. avoit donné à l'église en l'année de Louis pagé [...] une lampe de vingt francs cy 20#
deux verres de vingt Sols piec cy 2#
payé p^{r}. le transport des d^{t}. effets de Paris à la Rochelle 2#
(Journal, 1731-1751, p. 4.)

LAMPE

Février 1732
Reçu de lamotte meunier quinze sols qui doivent être employés à avoir de l'huile p^{r}. la lampe de l'église cy 15^{s}
(Journal, 1731-1751, p. 5.)

LAMPE

1743

trouvé dans le coffre fort, la somme de deux cens soixante dix sept livres dix neuf sols (y compris 12# 14^{s}, à part, dans une boëste comme Don des Paroissiens pour achetter de l'huile pour la lampe devant l'autel du très st. sacrement

(Journal, 1731-1751, p. 77.)

BÉNITIER

17 février 1743

payé [...] vingt deux sols et demi pour raccommodage du Bénitier

(Journal, 1731-1751, p. 75.)

SOLEIL — CHANDELIERS — BURETTES

23 avril 1743

inventaire des effets, linges, ornements &c. fait le 23 avril 1747 [...] un soleil de cuivre doré [...] et deux chandeliers petits de cuivre à la vieïlle mode et deux burettes vieilles

(Journal, 1731-1751, p. 76.)

RÉSERVOIR

1749

Donné à m^{e}. Lorrain Travailleur En cuivre six francs pour remettre en bon etat le vase (defectueux) qui sert a conserver l'Eau baptismalle Donnés, dis-je, six francs

(Journal, 1731-1751, p. 84.)

OSTENSOIR

1749

Recet. recu soixante quatre livres deux sols et demi de la queste pour le soleil

(Journal, 1731-1751, p. 84.)

RÉSERVOIR

1750

Depens payé pour corde de la cloche, oüette, et racommodage du vase pour l'Eau Baptismalle dix livres, cinq sols

(Journal, 1731-1751, p. 85.)

BASSIN

1750

Dep^{e} payé trente livres pour des cierges; Et de plus trente sols pour Raccommodage du grand bassin d'Eteing — Et de plus cente sols pour dix livres de suif

(Journal, 1731-1751, p. 85.)

VASES

1822

pour deux petits vases de cristal pour le baptistaire 1# 16^{s}

(Journal, 1811-1840, [p. 32].)

LUSTRES

1822

pour deux lustres en cuivre 10# 16^{s}

(Journal, 1811-1840, [p. 34].)

LAMPIONS — ÉTEIGNOIR —
BOÎTES AUX SAINTES HUILES

1823

deux lampions en fer blanc, un éteignoir, et trois petites boëtes en fer blanc pour les saintes huile 6#

(Journal, 1811-1840, [p. 38].)

GIRANDOLES

1823

deux paires de girandoles pour le reposoir 21# 12^{s}

(Journal, 1811-1840, [p. 39].)

BÉNITIER

1824
deux plats d'Etain pour les Bénitiers 2/3 Chaque 5# 8^s
(Journal, 1811-1840, [p. 45].)

OSTENSOIR

Janvier 1831
payé, pour avoir fait raccommoder l'ostensoir 10# 4^s
(Journal, 1811-1840, [p. 81].)

CHANDELIERS

18 janvier 1832
7 verges d'indienne pour couverture des chandeliers 6# 6^s
(Journal, 1811-1840, [p. 87].)

PORTE-DIEU

25 novembre 1834
payé pour deux porte-dieu neufs £1.15^s.0^d
(Journal, 1811-1840, [p. 100].)

CHANDELIERS — CRUCIFIX

1840
achat de 6 chandeliers de Bronze argentés, avec le Crucifix £46.0^s.0^d
12 autres plus petits, argentes, 2 crucifixs £32.0^s.0^d
(Journal, 1811-1840, [p. 132a].)

CHANDELIERS — CRUCIFIX

1840
1 jeu de grands chandeliers & 1 crucifix £46.0^s.0^d
2 jeux de petits D^o & D^o £32.0^s.0^d
(R. C., 1812-1875, [p. 63].)

CHANDELIERS

14 juin 1840
il a été décidé à l'unanimité, par ladite assemblée [des marguilliers], qu'on acheterait un jeu de grands

chandeliers de cuivre argenté, pour le grand autel, pour le prix de quarante six louis
(D. M., 1818-1858, p. 57.)

CHANDELIERS — CRUCIFIX

15 juin 1840
payé pour achat d'un jeu de grands chandeliers de cuivre argenté avec le crucifix £46.0^{s}.0^{d}
(Journal, 1840-1842, [p. 5].)

CHANDELIERS — CRUCIFIX

15 juin 1840
payé pour achat d'un jeu de grands chandeliers de cuivre, argentés avec le crucifix, pareillement de cuivre argenté £46.0^{s}.0^{d}
(Journal, 1811-1840, [p. 130].)

CHANDELIERS

25 juin 1840
payé pour deux douzaines de peaux de chamois pour faire des couvertures aux chandeliers neufs £1.8^{s}.0^{d}
(Journal, 1840-1842, [p. 7].)

CHANDELIERS

25 juin 1840
payé pour deux douzaines de peaux de chamois, pour faire des couvertures aux chandeliers neufs, de cuivre argentés £1.8^{s}.0^{d}
nota. par la suite on a été obligé d'abandonner L'usage de ces couvertures de chamois, parce que ce chamois mal préparé sans doute, attirait trop L'humidité et auroit perdu les chandeliers en les couvrant de vert de gris.
(Journal, 1811-1840, [p. 131].)

CHANDELIERS — CRUCIFIX

27 juin 1840
payé pour façon des Couvertures en chamois pour les chandeliers neufs et le Crucifix, qui ont été ensuite

abandonnées £0.8s.9d
payé pour faire boiser et arranger une des grandes armoires de la Sacristie, pour y mettre les chandeliers neufs £0.12s.6d
(Journal, 1811-1840, [p. 131].)

CHANDELIERS — CRUCIFIX

27 juin 1840
payé pour façon de couverture en chamois des chandeliers neufs et du crucifix £0.8s.9d
payé pour faire foncer et arranger une des grandes armoires de la sacristie, pour mettre les chandeliers neufs &c £0.12s.6d
(Journal, 1840-1842, [p. 7].)

CHANDELIERS — CRUCIFIX

28 juin 1840
à une assemblée des marguilliers [...], il a été resolu unanumement 1o. qu'on acheteroit deux petits jeux de chandeliers de cuivre, argentés, chacun de ces jeux de chandeliers, composé de six chandeliers avec un crucifix, pour les deux chapelles de Ste anne et de St. joachim, pour de prix chaque jeu de seize livres du cours actuel.
(D. M., 1818-1858, p. 58.)

CHANDELIERS — CRUCIFIX

1 juillet 1840
payé pour deux jeux de petits chandeliers de cuivre argentés avec les deux crucifixs de cuivre et argentés, pour les chapelles. les crucifixs ont 33 pouces de hauteur, les chandeliers 20 pouces. chaque jeu composé de 6 chandcliers et du crucifix coute 16£ les deux formant 12 chandeliers et deux crucifix £32.0s.0d
(Journal, 1811-1840, [p. 131].)

CHANDELIERS — CRUCIFIX

1 juillet 1840
payé pour deux jeux de petits chandeliers de cuivre argentés avec les crucifix 33 pouces hauteur, six chan-

deliers de 20 pouces de hauteur, pour les chapelles. chaque jeu coute 16£ les deux £32.0^{s}.0^{d}
(Journal, 1840-1842, [p. 7].)

CHANDELIERS
7 juillet 1840
payé pour 12 verges d'indienne, pour couvertures aux petits chandeliers £0.8^{s}.0^{d}
payé pour 11 verges de Schurting pour douler les sus-dites couvertures £0.0^{s}.4^{d}
(Journal, 1811-1840, [p. 131].)

CHANDELIERS
7 juillet 1840
payé pour 6 tuyaux avec versant pour les souches des chandeliers neufs £0.16^{s}.5^{d}
payé pour 12 verges d'indienne 8^{d} payé pour 11 verges shurting 8 — pour faire des couvertures aux petits chandeliers £0.7^{s}.4^{d}
(Journal, 1840-1842, [p. 9].)

CHANDELIERS
25 juillet 1840
payé pour façon des couvertures des petits chandeliers £0.14^{s}.0^{d}
(Journal, 1811-1840, [p. 132].)

CHANDELIERS — CRUCIFIX
25 juillet 1840
payé pour les couvertures des petis chandeliers et les deux crucifix £0.14^{s}.0^{d}
(Journal, 1840-1842, [p. 9].)

CHANDELIERS
31 août 1840
payé pour pentures, cloux et vis pour l'armoire des chandeliers neufs £0.1^{s}.8^{d}
(Journal, 1840-1842, [p. 11].)

CHANDELIERS

31 août 1840
payé pour pentures, cloux et vis, pour la 2de armoire pour les chandeliers £0.1^s^.8^d^
(Journal, 1811-1840, [p. 132].)

CHANDELIERS

10 septembre 1840
payé pour faire faire la seconde armoire pour mettre les chandeliers neufs £0.9^s^.0^d^
payé pour faire faire les souches £0.6^s^.9^d^
(Journal, 1840-1842, [p. 11].)

CHANDELIERS

10 septembre 1840
payé pour la seconde armoire, pour les chandeliers neufs £0.9^s^.0^d^
(Journal, 1811-1840, [p. 132].)

CHANDELIERS

11 septembre 1840
payé pour la façon de 6 souches, pour les chandeliers £0.6^s^.9^d^
(Journal, 1811-1840, [p. 132].)

CHANDELIERS

11 octobre 1840
peinturage de 6 souches. £0.2^s^.6^d^
(Journal, 1840-1842, [p. 11].)

CHANDELIERS

11 octobre 1840
payé pour faire peinturer les souches neuves £0.2^s^.6^d^
(Journal, 1811-1840, [p. 132].)

CHANDELIERS

15 décembre 1840
payé pour 8 tuyaux à ressort, pour souches neuves £1.2^s^.0^d^
(Journal, 1811-1840, [p. 132].)

CHANDELIERS

24 décembre 1840
payé pour 6 petits moules de fer blanc, pour les bougies des souches £0.2s.3d
(Journal, 1811-1840, [p. 132].)

CRUCIFIX

23 janvier 1841
payé pour faire poser un vernis, sur le crucifix de cuivre £0.7s.6d
payé pour 6 souches neuves, pour les chandeliers £0.6s.0d
(Journal, 1841-1861, p. 2.)

CHANDELIERS — CRUCIFIX

15 mai 1841
payé pour couvertures du crucifix et des chandeliers neufs £0.7s.0d
(Journal, 1841-1861, p. 2.)

CHANDELIERS

18 septembre 1841
payé pour faire peinturer les souches neuves £0.2s.6d
(Journal, 1841-1861, p. 2.)

BÉNITIER — GOUPILLON

22 mai 1852
1 bénitier & goupillon bronze vernis 20s £1.0s.0d
(Journal, 1841-1861, p. 130.)

CROIX

24 juillet 1855
1 croix dorée £1. 10s.0d
(Journal, 1841-1861, p. 162.)

ENCENSOIR

17 novembre 1859
Payé 1 encensoir à T. Larue £1.15s.0d
(Journal, 1841-1861, p. 266.)

AMPOULES AUX SAINTES HUILES

27 mars 1861
ampoules pour les S^{tes} Huiles — £0.1^{s}.0^{d}
(Journal, 1841-1861, p. 302.)

AMPOULES AUX SAINTES HUILES

27 mars 1861
ampoules pour les Ste Huiles — £0.1^{s}.0^{d}
(Journal, 1853-1863, n.p.)

ENCENSOIR

2 juin 1863
Un encensoir p — £2.5^{s}.0^{d}
(Journal, 1853-1863, n.p.)

GOUPILLON

1894
goupillon neuf — $0.35
(D. M., 1866-1908, [p. 158].)

GOUPILLON

24 novembre 1872
Un goupillon neuf p — £0.1^{s}.6^{d}
(Journal, 1864-1877, n.p.)

PORTE-DIEU

24 décembre 1873
Un porte Dieu p — £0.17^{s}.6^{d}
(Journal, 1864-1877, n.p.)

RELIQUAIRE

1874
1 Reliquaire — $7.50
(D. M., 1866-1908, [p. 20].)

RELIQUAIRE

21 juillet 1874
1 Reliquaire pay 4/7$^{1}/_{2}$ au connetable mores [?] p
£1.7^{s}.6^{d} [changé cn] £2.2^{s}.1$^{1}/_{2}{}^{d}$
(Journal, 1864-1877, n.p.)

PLATS

12 avril 1888
Trois plats de fer blanc pour l'eglise £0.0^{s}.75^{d}
(Journal, 1878-1902, n.p.)

GOUPILLON

1890
Goupillon neuf $1.00
(D. M., 1866-1908, [p. 134].)

ENCENSOIR — PATÈNE — RELIQUAIRES

1890
Encensoir, patène, reliquaires argentés à neuf $7.00
(D. M., 1866-1908, [p. 134].)

CLEFS

1890
2 clefs de tabernacle argentées $0.50
(D. M., 1866-1908, [p. 135].)

ENCENSOIR

8 juin 1890
payé pour argenture d'un encensoir $3.00
(Journal, 1878-1902, n.p.)

ENCENSOIR

14 juin 1890
Payé pour faire argenter un encensoir $3.00
(Journal, 1878-1902, n.p.)

CLEFS

18 juin 1890
Payé pour faire argenter 2 clefs pour tabernacle $0.50
(Journal, 1878-1902, n.p.)

ETEIGNOIR

21 juillet 1890
Instrument pour allumer et eteindre les cierges $1.00
(Journal, 1878-1902, n.p.)

GOUPILLON

30 novembre 1890

Paye a Al. Picher pour un goupillon et réparations au dais $1.00

(Journal, 1878-1902, n.p.)

CHANDELIERS

8 septembre 1892

Reparation des chandeliers d'argent $0.40

(Journal, 1878-1902, n.p.)

GOUPILLON

1894

goupillon neuf $0.35

(D. M., 1866-1908, [p. 158].)

GOUPILLON

7 novembre 1894

Payé pour goupillon, etc $0.35

(Journal, 1878-1902, n.p.)

CHANDELIERS

1896

Chandeliers argentés $10.00

(D. M., 1866-1908, [p. 170].)

PORTE-DIEU — CLEF — ENCENSOIR

3 avril 1899

Porte-Dieu argenté $1.50

Clef de tabernacle argentée $1.00

Encensoir réparé $0.25

(Journal, 1878-1902, n.p.)

PORTE-DIEU — CLEF — ENCENSOIR

1899

Porte-Dieu argenté $1.50

Clef de tabernacle argentée $1.00

(D. M., 1866-1908, [p. 182].)

CALICE — CIBOIRE

1916

Calice de laiton argenté et ciboire de laiton doré donnés en 1916 par l'abbé Mendoza Bernard avant de mourir. Le deux pièces portent une inscription en ce sens.

(IBC, dossier Cap-Santé, notes de Gérard Morisset, semaine du 10 octobre 1937.)

Tableau 3

Les objets du culte en métaux autres que l'argent

	17					18							18				
	31	43	47	49	50	22	23	24	31	34	40	41	52	55	59	61	63
1. Lampe	A																
2. Bénitier		R															
3. Ostensoir			I	Q					R								
4. Chandeliers			I														
5. Burettes			I														
6. Réservoir				R	R												
7. Bassin					R												
8. Lustres						A											
9. Lampion							A										
10. Eteignoir							A										
11. Boîtes aux saintes-huiles							A										
12. Girandoles							A										
13. Bénitiers								A									
14. Porte-Dieu										A							
15. Chandeliers (6 grands)											A						
16. Crucifix (1 grand)											A	R					
17. Chandeliers (6 petits)											A						
18. Crucifix (1 petit)											A						
19. Bénitier													A				
20. Goupillon													A				
21. Croix														A			
22. Encensoir															A		
23. Ampoules aux S[tes] huiles																A	
24. Encensoir																	A
25. Goupillon																	
26. Goupillon																	
27. Porte-Dieu																	
28. Reliquaire																	
29. Plats (3)																	
30. Goupillon																	
31. Clefs tabernacle																	
32. Éteignoir																	
33. Goupillon																	
34. Goupillon																	
35. Calice																	
36. Ciboire																	
	17					18							18				
	31	43	47	49	50	22	23	24	31	34	40	41	52	55	59	61	6

73	74	75	90	92	94	96	99	1916
				r		G	g	
				r		G		
			g				R	
A	A	A	A				g	
			G A A		A		G	N N

3 74 75 90 92 94 96 99 1916

Appendice 4

Le Fort Jacques Cartier Cap-Santé (1759-1760) Histoire, relevé, analyse

> « Le 25 septembre 1759, l'Armée a été occupée à s'établir et se barraquer. On a donné quelques tentes et quelques marmites. »

Il a toujours été connu du grand public et des habitants de Cap-Santé qu'un fort avait été érigé par l'armée française à la suite de la défaite du 13 septembre 1759 sur les hauteurs du Cap Diamant.

Les visiteurs pouvaient voir les tracés des anciens fossés et des buttes de terre entourant le site du fort.

Une plaque érigée par la Commission des Monuments Historiques, le long de la route, le chemin du Roy, rappelait ces faits historiques.

L'érosion d'une partie du fort amena le Service d'Archéologie en 1962 à s'occuper de ce site et nous présentons maintenant un dossier qui permettra de protéger le site et éventuellement le mettre en valeur.

Identification du site

a) *Description technique*

Le fort Jacques Cartier est établi sur une partie du lot 80-46 du cadastre officiel de la paroisse de Cap-Santé dans le comté de Portneuf. Ce lot est borné au nord par le no 79, à l'ouest par le no 82, au nord-ouest par le no 80 et des autres côtés par la rivière Jacques Cartier à l'est, la voie du CN au sud. La superficie du lot 80-46 est évaluée à 770,000 pieds carrés.

b) *Description du site*

Le fort Jacques Cartier est établi sur un éperon argileux et de sable silteux d'une altitude relative d'environ 125 pieds par rapport au niveau du Saint-Laurent.

Le terrain, de forme triangulaire, présente une surface assez plane, bordée du côté est par des buttes de terre qui donnent ainsi une forme de cuvette.

La végétation actuelle arbustive est composée surtout de jeunes trembles. Il y a une dizaine d'années, la surface du fort était gazonnée.

Du côté nord-ouest, le fort était protégé par un fossé visible encore aujourd'hui et partiellement rempli d'eau morte.

La surface approximative du fort est évaluée à 160,000 pieds carrés représentant environ 20% de tout le lot cadastral 80-46.

De chaque côté de l'éperon sur lequel le fort est bâti, le terrain descend en escalier vers la rivière et à l'extrémité de l'éperon, au sud, une érosion récente présente des pentes de 30°.

Du côté nord-ouest, le fort est en partie borné par l'ancienne route no 2, alors que le vieux chemin du Roy du XVIIIe et XIXe siècle passait entre la maison Allsopp et le fossé du fort.

Historique du site

a) *L'arrière-plan historique*

Le 13 septembre 1759, devant les portes de Québec, l'armée française connaissait la défaite après une courte bataille de moins d'une heure.

Le Chevalier de Lévis, succédant au Général Montcalm qui trouva la mort dans cette bataille, décida de regrouper une partie de ses troupes à Jacques Cartier après y avoir érigé des fortifications. Ce poste fut le dépôt de tous les préparatifs du siège de Québec et le rendez-vous des partis que l'on entrevoyait dans le gouvernement du Québec.

b) *La construction du fort*

Le 26 septembre 1759, les ingénieurs tracèrent les ouvrages que le Chevalier de Lévis voulait faire sur la pointe de Jacques Cartier.

Le 27, les régiments ont fabriqué des fascines et des rames. Deux cents travailleurs furent affectés à cette fortification.

Des barraques et des tentes logèrent environ cinq cents soldats et à partir du 6 novembre, la garnison fut réduite à trois cents hommes. Le commandant du fort au début fut le major général Dumas avec des effectifs des régiments de la Sarre, du Languedoc et du Béarn.

On y passa l'hiver en faisant des razzias et des « réquisitions » chez les fermiers des environs selon les instructions de l'intendant Bigot. On réquisitionna des planches et des poutres que les gens du village voisin avaient accumulées en vue de la construction d'une église.

En mars 1760, la boulangerie du fort est incendiée avec une partie du magasin. On craignit même que le magasin à poudre en fut affecté.

Le 10 septembre 1760 au matin, le colonel Fraser assiège le fort où commande Dallebergaty, on échange quelques coups de fusil, les Anglais s'apprêtent à ériger des batteries de canon alors que le commandant français crut bon de se rendre à discrétion. L'affaire avait duré moins d'une heure. Le commandant et la garnison du fort Jacques Cartier furent faits prisonniers de guerre; on les envoya à Québec puis ils furent embarqués sur un navire anglais en direction de la France.

Les 9 articles de la capitulation du fort portent les signatures de Dallebergaty et S. Fraser.

Trois cartes connues jusqu'à date donnent une représentation du fort Jacques Cartier. La première publiée par la *Quebec Litterary and Historical Society* et reprise par Gatien dans son *Histoire du Cap Santé* et par C. T. Dussault dans son article sur Fossambault ne semble pas des plus précises.

La seconde, tirée de l'Atlas de Murray dressée en 1760-61-62 semble plus exacte quand on la compare à la topographie actuelle.

La troisième provient du *British Museum* et montre le fort avec ses ouvrages en terre et les barraques. L'échelle du plan est de 800 pieds au pouce. Nous croyons que ce document est le plus précis et il a été utilisé au moment des sondages de 1962.

c) *Titres de propriété*

Le 3 septembre 1830, devant le notaire J. Frs. Bernard de Cap-Santé François Pichet et son épouse Françoise Fisette vendaient leur propriété à Georges-Walter et Robert Allsopp. Cette vente comprenait la maison, le jardin et un emplacement situé au nord-est.

Depuis 1830 donc, la famille Allsopp demeurera propriétaire du site du fort et il faut attendre 1910 pour qu'une vente de « Lisière de terrain constituant le droit de passage du *Canadian Northern Quebec Railway* » se fasse.

Sondages préliminaires

À la demande de la Commission des Monuments Historiques, le Service d'Archéologie, en mai 1962, avec l'aide bénévole des membres de l'Équipe d'Archéologie de Québec, pratiquait deux ou trois sondages sur le site présumé du Fort Jacques Cartier.

Les constatations faites à la suite de ces sondages amenaient le Service à présenter à la Commission les recommandations suivantes:

1. Il faudrait arpenter le site pour établir le profil et le dessin des fossés, celui des buttes de terre et celui des contours du terrain.
2. Pratiquer des fouilles archéologiques pour retracer l'emplacement des barraques qu'on croit y avoir été bâties en 1759 et aussi pour recueillir des objets reliés au fort.

La première partie de ce travail n'a pu être faite à cause du manque de ressources mais des sondages ont été exécutés à l'automne de 1962 par des puits couvrant environ 1,250 pieds carrés à une profondeur moyenne de 2.0 pieds.

Durant trois semaines, nous avons tenté de retracer dans le profil du sol une couche d'occupation sur la pointe de l'éperon mais vainement. Dix-sept puits creusés près du fossé ont été plus productifs. À cet endroit (fig. 9, région A), sous 18 à 20 pouces de sol bouleversé par la charrue au bas d'une faible pente, nous avons retracé une couche de débris calcinés, épaisse de 3 ou 4 pouces, contenant des balles de fusil, des ossements de porc, des pierres à fusil, deux boulets de canon, des fragments d'étoffe, de marmite, des boucles de cuivre et des clous forgés (fig. 9, région B).

Cependant, vu la petitesse de la surface dégagée par rapport à la surface entière du fort, nous n'avons pas décelé des vestiges évidents de solages des barraques. Seuls des alignements de roches de type « erratique », des « pierres des champs » ont été observés et semblent correspondre aux croquis des barraques qu'on aurait construites à cet endroit.

Une inspection des fossés du fort montre que la carte (fig. 9) est assez exacte. Cependant, il ne faudrait pas oublier que la section marquée C (fig. 9) a été bouleversée par un bélier mécanique, que la région marquée (D) a été nivelée pour un terrain de tennis, que la région marquée (E) a été aménagée pour laisser passer un chemin et qu'enfin, toute la surface du fort a été labourée. Le profil du fossé quand même est encore discernable malgré ces transformations.

Pour se plier à une condition de la propriétaire des lieux, tous les objets trouvés lui ont été remis.

Une analyse de ces objets démontre indiscutablement qu'une occupation militaire du site a eu lieu au milieu du XVIIIe siècle et que cette occupation fut de courte durée.

Évaluation

a) *Importance relative du site*

Québec avait capitulé le 18 septembre 1759, Montréal en avait fait autant le 8 septembre 1760 et le Fort Jacques Cartier s'était rendu deux jours plus tard, le 10 septembre 1760. C'est l'avant-dernier poste de résistance au Québec car les soldats de Restigouche ne capitulèrent que le 30 septembre de la même année.

Si nous considérons le type de fortification qu'est le fort Jacques Cartier, c'est le seul fort du genre qui soit relativement intact si on le compare aux ouvrages en terre et pieux érigés dans la région de Québec lors de la guerre de sept ans et qui se termina par la Conquête. La région de Beauport a vu s'ériger de telles fortifications mais aucune n'est repérable maintenant, par suite des transformations dues aux labours ou au développement résidentiel et routier. À ce compte, le fort Jacques Cartier est semble-t-il unique.

Du simple point de vue de technique de construction militaire le fort Jacques Cartier est un des rares exemples où, par des fouilles archéologiques, on pourrait augmenter nos connaissances dans ce domaine.

Au point de vue archéologique, le site du fort Jacques Cartier est très important, car nous savons que son occupation fut de très courte durée, à peine une année, et la collecte d'objets de culture matérielle que l'on pourrait y faire servirait de point de repère dans l'étude de nos collections.

Enfin, du seul point de vue environnement naturel, la topographie du site est exceptionnelle avec sa vue panoramique sur le Saint-Laurent.

b) *Sa vulnérabilité*

Depuis quelques années, le fait que les Chemins de fer nationaux enlèvent le sable et l'argile au fur et à mesure qu'ils descendent de l'éperon formé par le fort Jacques Cartier, a causé une érosion qui affecte des structures de pierre qui semblent reliées à la construction du fort. Un rapport d'ingénieur en mécanique des sols a d'ailleurs été produit par le Service de géotechnique, le 14 septembre 1976, et une expertise avait été faite le 26 mai 1964, par l'ingénieur Marcel Sirois portant sur l'abbattage d'arbres dans le talus. Il y avait à ce moment un procès entre les Chemins de fer nationaux et la propriétaire du lot 80-46.

Une protection juridique de la part du Ministère permettrait sans doute une meilleure protection physique du site.

Conclusion

Le site du fort Jacques Cartier revêt une importance majeure en archéologie historique par suite:

1. de sa haute signification historique
2. de sa condition relativement bonne de conservation
3. de sa valeur archéologique intrinsèque

4. de son environnement naturel exceptionnel, malgré la présence voisine du moulin à papier de la Domtar.
5. de sa vulnérabilité
6. de la possibilité de mise en valeur par des fouilles exhaustives et un aménagement « paysager » intéressant
7. de la présence d'une vieille maison qui selon la tradition a servi de quartier général au Chevalier de Lévis.

Notons que la partie est du lot 80-46 possède un accès direct sur les bords de la rivière par des pentes facilement aménageables en parc, ce qui permettrait de préserver intact le fort lui-même.

Il ne fait aucun doute que la protection du fort Jacques Cartier s'impose de façon urgente.

Michel Gaumond
Division de l'Archéologie historique,
Direction de l'Archéologie et de l'Ethnologie,
Direction générale du Patrimoine,
Ministère des Affaires culturelles.

Québec, juillet 1977

Bibliographie

Bergeron, Robert,
Rapport d'enquête, glissements de terrain.
Dossier 716 de la Direction générale des Mines.
Service de la Géotechnique, 14 sept. 1976, 4 p., ill.

Dussault, Clément T.
Notes diverses sur le compté de Portneuf, 1946, pp. 81-112.

Frégault, Guy,
La guerre de la Conquête
Montréal, Fides, 1952.

Gatien, Félix-X,
Histoire de la paroisse du Cap Santé par l'Abbé F.-X. Gatien.
Québec, Léger Brousseau, 1884, 376 p.

Gaumond, Michel
Rapport d'inspection, Fort Jacques Cartier à Cap Santé;
6-9 avril 1962.
Dossier 1 PF de la Direction de l'Archéologie et de l'Ethnologie.
Ministère des Affaires culturelles, 2 p., MS.

Gaumond, Michel
Rapport des fouilles exécutées sur le site du Fort Jacques Cartier en octobre 1962.
Dossier 1 PF de la Direction de l'Archéologie et de l'Ethnologie.
Ministère des Affaires culturelles, 29 janvier 1963, 4 p., plan, MS.

Gaumond, Michel
Fort Jacques Cartier: rapport d'expertise de vestiges archéologiques, 12 septembre 1974.
Dossier 1 PF de la Direction de l'Archéologie et de l'Ethnologie.
Ministère des Affaires culturelles, 1er octobre 1974, 2 p., MS.

Lévis, Chevalier de
Cahier des lettres écrites à M^r le Général pendant mon commandement à Jacques Cartier depuis le commencement du mois de mars jusqu'à...
Archives canadiennes. Doc. de la Session 5-6 Edouard VII, A-1906, pp. 12 et sq.

Literary and Historical Society of Quebec.
Historical documents 1st series.
D-1, *Mémoires sur le Canada depuis 1749 jusqu'à 1760, en trois parties: avec cartes et plans.* VII et 211 p. in-8, Québec, 1838.

Malartic, comte Maurice de
Journal des Campagnes du Canada de 1755 à 1760.
Dyon, 1890, 371 p., cartes.

Potvin, Damase
Fossambault, Québec, 1946, 144 p., ill. Carte.

Archives Nationales de France
Articles de la capitulation du Fort Jacques Cartier.
Série C^{11} A. Vol. 105, folio 107.

Liste des œuvres exposées

A — Paysages des topographes

James HUNTER
Actif 1777-1792

1. *Cap-Santé on the St. Lawrence* (fig. 4)
aquarelle, plume et encre
1778
27,8 X 44, 8 cm
Archives Publiques du Canada

George HERIOT
Haddington, 1766 — Angleterre, 1844

2. *Cap Sants' Church* (fig. 6)
aquarelle sur graphite
11,2 X 23,9 cm
Archives Publiques du Canada

Roswell Corse LYMAN
Montréal, 1850-1892

3. *Cap-Santé* (fig. 8)
aquarelle
1883
25,5 X 17 cm
Château de Ramezay, Montréal

William Henry BARTLETT
Kentish Town, Londres, 1809 — En mer, 1854

4. *Raft on the St. Lawrence at Cape Santé*
gravure
1840
23,8 X 29,2 cm
Musée McCord

B — Plans architecturaux

attribué à Moïse MARCOTTE

5. *Façade de la maison François-Xavier Garneau* (fig. 15)
mine de plomb, plume et encre noire, rehaussé à l'aquarelle
1852
37,5 X 33,7 cm

6. *Plan intérieur de la maison François Xavier Garneau* (fig. 15)
mine de plomb, plume et encre noire, rehaussé à l'aquarelle
1852
46,8 X 30,7 cm
Collection Henriette et Maurice Grenier

C — J. Elzébert GARNEAU Québec, 1891-1965

Sourd-muet de naissance, Elzébert GARNEAU (fig. 71) était le fils unique d'une famille aisée de Québec. Il fit ses études à l'Institut des sourds-muets de Montréal. Son indépendance de fortune lui permettra de peindre sans chercher à vendre ou à exposer ses œuvres. Il fréquenta deux peintres de l'école de Québec: Edmond LEMOINE et Charles HUOT. Il a peint les régions de Baie Saint-Paul et de Cap-Santé où il s'installait pour la saison estivale. À partir du début des années 1930 il abandonna la peinture pour se consacrer à la photographie.

7. *Rue du village de Cap-Santé en automne* (fig. 13)
   huile sur panneau
   1913
   24,7 X 33,5 cm
   Collection privée

8. *Intérieur de la maison Germain* (fig. 76)
   huile sur carton
   n.d.
   15,6 X 22,1 cm
   Collection privée

9. *Église et village de Cap-Santé en hiver* (fig. 18)
   huile sur carton
   n.d.
   15,1 X 22 cm
   Collection privée

10. *Rivière Jacques Cartier et moulin du fief Bélair* (fig. 75)
    huile
    14,7 X 21,5 cm
    Collection privée

11. *Le calvaire du Petit-Bois de l'Ail*
    huile
    n.d.
    30,9 X 43,5 cm
    Collection Henriette et Maurice Grenier

12. *Maisons de l'anse de Cap-Santé* (fig. 74)
    huile
    n.d.
    15,2 X 21,9 cm
    Collection privée

13. *Les cageux*
    huile
    n.d.
    30,8 X 43,5 cm
    Collection Henriette et Maurice Grenier

14. *Portrait de Gérard Morisset*
mine de plomb
1910
16,4 X 12,3 cm
Collection privée

15. *Portrait de Gérard Morisset* (verso-bateau)
mine de plomb
1911
15,3 X 10,2 cm
Collection privée

16. *Vue du village de Cap-Santé vers l'est*
mine de plomb
1913
10,3 X 15,2 cm
Collection privée

17. *Cottage Regency, maison de François-Xavier Garneau*
mine de plomb
1915
12,7 X 17,8 cm
Collection privée

18. *Feuille d'études, intérieur d'une boulangerie*
mine de plomb
1923
12,6 X 17,9 cm
Collection privée

19. *Paysage de Cap-Santé avec vue de la Pointe-du-Platon*
mine de plomb
1926
12,7 X 17,9 cm
Collection privée

20. *Église de Cap-Santé*
mine de plomb rehaussé à l'aquarelle
1931
12,6 X 17,8 cm
Collection privée

21. *Intérieur de maison avec berçantes*
mine de plomb
n.d.
12,7 X 17,7 cm
Collection privée

22. *Maison François-Xavier Garneau*
aquarelle
1921
30,5 X 38 cm
Collection Henriette et Maurice Grenier

23. *Maison et boutique de forge Félix Garneau*
aquarelle
1922
27,5 X 35,5 cm
Collection privée

24. *Église de Cap-Santé*
plume et encre noire
1909
20,3 X 20,7 cm
Collection privée

25. *Vieil hangar Hardy à Cap-Santé*
plume et encre noire
1916
20,7 X 20,4 cm
Collection privée

26. *Arbre dans le vent au bord de la grève, Cap-Santé* (fig. 72)
fusain
1910 (?)
29,6 X 38,1 cm
Collection privée

27. *Intérieur de la forge Félix Garneau* (fig. 77)
fusain rehaussé
1915
45,2 X 60,5 cm
Collection privée

28. *Le bon Dieu* (fig. 78)
fusain
1919
45,8 X 60,8 cm
Collection privée

D — Gérard MORISSET Cap-Santé, 1898 — Québec, 1970

29. *Portrait d'Elzébert Garneau*
mine de plomb et fusain
août 1916- décembre 1921
37 X 33 cm
Collection famille Gérard Morisset

30. *Maison Hardy, Cap-Santé* (fig. 14)
plume et encre noire sur papier
1934
28,5 X 36,5 cm
Collection famille Gérard Morisset

31. *Vue de la grève de Cap-Santé*
plume et encre noire sur papier
22 X 32,5 cm
Collection privée

E — Tableaux

32. *Ex-voto de Marie-Anne Robineau* (fig. 55)
huile
1675
129,5 X 94 cm
Musée Historial, Basilique Ste-Anne de Beaupré

ANONYME
XVIIIe siècle

33. *La Sainte Famille avec Anne, Joachim et la Trinité* (fig. 56)
huile sur toile
133,6 X 100,5 cm
Fabrique de Cap-Santé

ANONYME
XVIIIe siècle

34. *Vierge et l'Enfant Jésus* (fig. 57)
huile
40,3 X 30,6 cm
Fabrique de Cap-Santé

Chevalier
Antoine-Sébastien
FALARDEAU
Cap-Santé, 1822 —
Italie, 1889

35. *Vierge* (fig. 70)
huile
1859
21,9 X 17 cm
Collection Madame
Madeleine Leduc-Brault

ANONYME
École canadienne

36. *Jeune homme de la famille Alsopp* (fig. 68)
huile
vers 1820
66 X 55,4 cm
Musée des beaux-arts
de Montréal

F — Sculptures

Atelier de la famille
LEVASSEUR
Québec, XVIIIe siècle

37. *Jésus, Marie et Joseph* (fig. 41, 42, 42a)
photographies de
sculptures sur bois doré
ornant les niches de la
façade de l'église
Cap-Santé

ANONYME
XIXe siècle

38. *Coq de clocher de Cap-Santé* (fig. 40)
tôle soudée
H. 30 cm, 1. 43 cm
Musée du Québec

Jean VALIN
Québec, 1691-1759

39. *Chandelier pascal* (fig. 46)
bois sculpté, peint et doré
1738
H. 174 cm
Fabrique de Cap Santé

40. *Chandelier d'autel* (un d'une paire) (fig. 47)
bois sculpté, doré
H. 70 cm
Fabrique de Cap-Santé

Gilles BOLVIN
Avesnes, France, 1711 —
Trois Rivières, 1766

41. *Chandelier d'autel*
(un d'une paire)
bois peint
H. 79 cm
Château de Ramezay, Montréal

ANONYME
Canadien, XVIIIe siècle

42. *Vierge à l'Enfant Jésus*
(fig. 43)
bois doré
H. 50,5 cm
Fabrique de Cap-Santé

ANONYME
Canadien, début XVIIIe siècle

43. *Vierge à l'Enfant Jésus*
(fig. 44)
bois doré,
traces de polychromie
H. 79,1 cm
Musée du Québec

ANONYME
Canadien, XVIIIe siècle

44. *Vierge à l'Enfant Jésus avec sceptre* (fig. 45)
bois doré
H. 42,5 cm
Musée du Québec

Louis JOBIN
St-Raymond, Portneuf,
1845 — St-Joachim, 1928

45. *L'éducation de la Vierge*
(fig. 50)
bois polychrome
1877
H.: sainte-Anne, 81 cm;
Vierge, 45 cm
Fabrique de Cap-Santé

G — Orfèvrerie

Laurent AMIOT
Québec, 1764-1839

46. *Bénitier et goupillon*
(fig. 84)
argent
1794
bénitier H. 28,8 cm
Fabrique de Cap-Santé

47. *Calice* (fig. 91)
argent
1801
H. 27,5 cm;
d. coupe, 8,5 cm
Fabrique de Cap-Santé

48. *Ciboire* (fig. 92)
argent
1801
H. 26,2 cm;
d. base 12,9 cm
Fabrique de Cap-Santé

49. *Aiguière baptismale*
(fig. 79)
argent
1804
H. 7 cm
Fabrique de Cap-Santé

50. *Encensoir* (fig. 96)
argent
1822
H. 26,2 cm; d. base, 9 cm

51. *Navette* (fig. 99)
argent
1822
H. 8,2 cm; l. 13,9 cm

52. *Plat à burettes* (fig. 89)
argent
1822
H. 3,8 cm; L. 19,6 cm;
b. 13,4 cm
Fabrique de Cap-Santé

53. *Boitier et ampoules aux saintes huiles* (fig. 86)
argent
1828
boitier: H. 6,5 cm;
L. 7,8 cm; l. 3,9 cm
ampoules: H. 6,2 cm;
d. 3 cm
Fabrique de Cap-Santé

54. *Calice* (fig. 104)
argent
H. 32 cm; d. base 16,6 cm
Collection d'orfèvrerie
Henry Birks

Robert HENDERY ou
HENDERY & LESLIE

55. *Ciboire* (fig. 94)
argent
H. 30,6 cm; d. base: 15 cm;
d. coupe: 15 cm
Fabrique de Cap-Santé

MARTIN et DEJEAN
Paris, actifs entre 1838
et 1846

56. *Plat à burettes* (fig. 90)
argent
H. 2,1 cm; L. 23,9 cm;
l. 14 cm
Fabrique de Cap-Santé

Ambroise LAFRANCE
Québec, 1847-1905

57, *Calice* (fig. 107)
argent et or
H. 31 cm
Galerie nationale du
Canada

Pierre LESPÉRANCE
Québec, 1819-1882

58. *Burettes* (deux paires)
(fig. 87, 88)
argent
1865 et 1873/76
H. 12,5 et 12,6,
d. base: 5 cm
Fabrique de Cap-Santé

59. *Calice*
argent
H. 29,5 cm
Collection d'orfèvrerie
Henry Birks

François SASSEVILLE
Ste-Anne de la Pocatière,
1797 — Québec, 1864

60. *Calice* (fig. 102)
argent
1845
H. 30,2 cm;
d. base: 15,5 cm,
coupe: 19 cm
Fabrique de Cap-Santé

61. *Ciboire* (fig. 93)
argent
1845
H. 29 cm; d.base: 14 cm,
coupe: 12,6 cm
Fabrique de Cap-Santé

62. *Bénitier* (fig. 140)
argent
H. 26 cm
Collection d'orfèvrerie
Henry Birks

KISSING (?)

63. *9 moules* (fig. 120, 134)
étain
n.d.

ANONYME
XIXe siècle

64. *Instrument de paix*
(fig. 100)
cuivre argenté
H. 12,2 cm, 1.: 9 cm
Fabrique de Cap-Santé

ANONYME
Paris

65. *Calice* (détails, fig. 117-119)
argent
(1837)
H. 15,7 cm
Collection
les Pères jésuites, Québec

Bibliographie

En plus des textes manuscrits, des articles et monographies listées ci-après nous avons consulté le dossier Cap-Santé conservé à l'Inventaire des biens culturels (I.B.C.), Centre de documentation du Ministère des Affaires culturelles, fonds Gérard Morisset, ainsi que les dossiers des artistes et des localités mentionnés dans le texte et les notes.

1. Manuscrits conservés aux Archives de la fabrique de Cap-Santé (A.F.C.S.). Les manuscrits mentionnés ci-dessous ont fait l'objet d'un nouveau dépouillement ce qui a permis d'apporter de nombreuses précisions et des informations nouvelles. Le manuscrit Journal, 1714-1812, n'a pu être consulté et le relevé de Gérard Morisset dans le dossier Cap-Santé de l'I.B.C. a servi pour cet important registre.

Journal, 1714-1812

Livre de comptes de la fabrique de la paroisse du Cap de la Ste Famille.
[Journal des comptes de recettes et de dépenses, délibérations des paroissiens.]

Journal, 1731-1751

Journal pour les comptes de la fabrique de la paroisse de La Ste Famille du Cap-Santé. 86 p.
[Journal des comptes de recettes et de dépenses, délibérations paroissiales, inventaire.]

Journal, 1811-1840

Regitre pour servir aux actes des ventes de banc, aux Élections de Marguilliers, et aux actes des marguilliers pendant compte. n.p.[142 p.]
[Journal, reddition des comptes, vente de bancs.]

R. C., 1812-1875

Résumé et tableau Comparatif des recettes et des dépenses des Marguilliers en œuvre de la paroisse de la Ste Famille du Cap Santé depuis 1812 compris Et Les années Suivantes avec La

Clôture des susdits Comptes.
n.p. [136 p.]
[reddition des comptes]

D. M., 1818-1858

Registre pour inscrire les 1ères communions, les confirmations, les adjurations, les adjudications de bancs, les élections des Marguilliers, et les actes de délibération de paroisse ou de Fabrique de la paroisse du Cap Santé, ainsi que les concessions d'indulgences à la susdite paroisse.
n.p. [177 p.]
[Liste des confirmés, premiers communiants, ventes de banc, délibérations des marguilliers, abjurations.]

Journal, 1834-1838, 1839-1843, 1840-1842

[Journaux des comptes de recettes et de dépenses tenus par différents marguilliers au cours de ces années.]
1834-1838, [16 p. non reliées]
1839-1843, [12 p.] et 1840-1842 [16 p.] sont reliés ensemble.

Journal, 1841-1861

journal des recettes et des dépenses des Marguilliers de Fabrique du Cap Santé commencé le 1er janvier 1841.
418 p. utilisées.

Journal, 1853-1863

Paroisse du Cap-Santé, Comptes des Marguilliers.
n.p. [140 p.]
[Journal des comptes de recettes et de dépenses, ventes de bancs.]

D. M., 1858-1958

Regitre de la Fabrique de la Ste Famille du Cap. Santé
n.p. [230 p. utilisées, 85 p. paginées]
[délibérations des marguilliers, ventes de banc, copies de lettres]

Journal, 1864-1877

Journal commencé le 1 janvier 1864.
n.p. [94 pp. utilisées]

D. M., 1866-1908

Livre destiné specialement à l'énrégistrement des actes d'élections des marguilliers et des autres deliberations des assemblées de fabrique et de paroisse.
n.p., [222 p.]
[délibérations des marguilliers, reddition des comptes.]

Journal, 1878-1902

Journal de recette et de depense de la paroisse du Cap-Santé.
n.p. [258 p.]

2. Ouvrages généraux, monographies, articles, catalogue d'exposition.

Allaire, abbé Jean-Baptiste Arthur, *Dictionnaire biographique du clergé canadien-français*, Montréal, 8 vol., 1910-1936.

Barbeau, Marius, « Côté sculpteur sur bois », Ottawa, *M.S.R.C.*, 1942.

Barbeau, Marius, « Louis Jobin Statuaire (1845-1928) » *M.S.R.C.*, section I, 1943, (pp. 17-23).

Beuque, E., Frapsauce, M., *Dictionnaire des poinçons de maîtres-orfèvres du XIVe siècle à 1838*, Saint Amand (Cher), Imprimerie R. Russière, 1929.

Barbeau, Marius, *Trésor des anciens Jésuites*, Musée National du Canada, Bulletin no 153, Ottawa, 1957.

Bland, John, « La Chapelle du palais épiscopal de Québec », *Vie des Arts*, vol. XIX, no 76, automne 1974, pp. 52-54.

Boisclair, Marie-Nicole, *Catalogue des œuvres peintes conservées au monastère des Augustines de l'Hôtel-Dieu de Québec*, dossier 24, Direction générale du patrimoine, Ministère des Affaires culturelles, Québec, 1977.

de Bonnault, C., « La vie religieuse dans les paroisses rurales canadiennes au XVIIIe siècle », *B.R.H.*, XL, 1934, pp. 645-675.

Cap-Santé, 1955
voir Gatien, 1830, 1899, 1955.

Casgrain, Abbé H. R., *A. S. Falardeau et A. E. Aubry*, Montréal, Librairie Beauchemin, 1912.

Cauchon, Michel, et Juneau, André, « Pagé, dit Carcy, Jacques », *D.B.C.*, III, pp. 540-541.

Derome, 1974
Derome, Robert, *Les orfèvres de Nouvelle-France, Inventaire descriptif des sources*, « Documents d'histoire de l'art canadien, N° 1 », Galerie Nationale du Canada, Ottawa, 1974.

Derome, octobre 1974
Derome, Robert, *Delezenne, les orfèvres, l'orfèvrerie (1740-1790)*, mémoire de maîtrise, section histoire de l'art, Université de Montréal, octobre 1974.

Derome, Robert, « Des poinçons de deux maîtres/Marks of Mystery », M^{21}, Musée des beaux-arts de Montréal, vol. 6, no 4, (printemps 1975), pp. 4-13.

Derome, Robert, « Delezenne, le maître de Ranvoyzé », *Vie des arts*, vol. XXI, no 83, (été) 1976), pp. 56-58.

Dussler, Luitpold, *Raphael*, Phaidon Press, New York, 1971.

Falardeau, Émile, *Un maître de la peinture. Antoine-Sébastien Falardeau*, Figures Canadiennes, Éditions Albert Lévesque, Montréal, 1936.

Fox, Ross Allan C., *Quebec and Related Silver at The Detroit Institute of Arts*, Wayne State University Press, Detroit, 1978.

Gagnon, François-Marc, *La conversion par l'image*, Bellarmin, Montréal, 1975.

Gatien, 1830, 1899, 1955

Gatien, abbé Félix H., Mémoires Historiques sur la Paroisse et Fabrique de Cap Santé depuis son Etablissement jusqu'en 1831, manuscrit conservé aux A.F.C.S., 337 p., publié par l'abbé David Gosselin, *Histoire du Cap-Santé depuis la fondation de cette paroisse jusqu'à 1830 continuée depuis 1830 jusqu'en 1897*, Québec, 1899, 288 p., réédité par l'abbé J.-Albert Fortier, *Histoire du Cap-Santé par l'abbé Félix Gatien depuis la fondation de cette paroisse en 1679 jusqu'en 1830, continuée par l'abbé David Gosselin depuis 1830 à 1887, et par l'abbé J.-Albert Fortier depuis 1887 à 1955*, Québec, 1955.

Gauthier, Raymonde, *Les tabernacles anciens du Québec*, Série Arts et Métiers, M.A.C., 1974.

Gosselin, abbé Auguste, *Église du Canada depuis Monseigneur de Laval jusqu'à la conquête*, Québec, Laflamme et Proulx, 1911.

Gosselin, abbé Auguste, « Mgr de Saint-Vallier et son temps », *Revue catholique de Normandie*, Evreux, Imprimerie de l'Eure, 1899.

Gowans, Alan, *Church architecture in New France*, University of Toronto Press, 1955.

Hubbard, Robert H., *Thomas Davies vers 1737-1812*, Exposition organisée par la Galerie Nationale du Canada, Ottawa, 1972.

Laflamme, Mgr. Eugene-C., *L'almanach de l'Action Catholique*. 1917, p. 29.

Lanel, Luc, *L'orfevrerie*, « Que sais-je? », no 131, P.U.F., Paris, 1964.

Langdon, John E., *Canadian Silversmiths, 1700-1900*, Stinehour Press, Toronto, 1966.

Langdon, John, « Lambert, dit Saint-Paul, Paul », *DBC III*, pp. 373-374.

Lavallée, Gérard, *Anciens ornementistes et imagiers du Canada-français*, M.A.C., Québec, 1968.

Leclaire, Alphonse, *Le Saint-Laurent historique, légendaire et topographique de Montréal à Cacouna et à Chicoutimi sur le*

Saguenay, Compagnie de publications commerciales, Montréal, 1906.

Les Grands orfèvres de Louis XIII à Charles X, « Collection Connaissance des Arts Grands Artisans d'Autrefois », Hachette, 1965.

Major-Frégeau, Madeleine, *La vie et l'œuvre de François Malepart de Beaucourt*, Série Arts et Métiers, M.A.C., 1979.

Martin-Méry, Gilberte, *L'art au Canada*, Bordeaux, 1962.

Massicotte, E. Z., « Les prétendus Barons de Bécancour », *B.R.H.*, vol. 52, janvier 1946, pp. 73-74.

Massicotte, E. Z., Roy, Roger, *Armorial du Canada Français*, Montréal, Beauchemin, 1918.

Mayrand, Pierre, *Sources de l'art en Nouvelle-France*, Québec, Service des Monuments historiques, 1968, 36 p.

Moogk, Peter N., « Jean Maillou », *DBC*, vol, III, pp. 452-454.

Morisset, Gérard, « Le Cap-Santé » *l'Action Catholique*, 2 décembre, 1922, pp. 1, 11.

Morisset, Gérard, « Une belle peinture de Joseph Légaré », *Le Canada*, 23 juillet 1934.

Morisset, Gérard, « Paul Malepart de Beaucours », *L'Evénement*, Québec, 5 décembre 1934, p. 4.

Morisset, Gérard, *La peinture au Canada français*, mémoire présenté à l'École du Louvre, Paris, 1934.

Morisset, Gérard, « La collection Desjardins à l'église de Sillery et ailleurs », *Le Canada français*, vol. 22, no. 8, avril 1935.

Morisset, Gérard, « La vie artistique à l'église du Cap-Santé », *Le Canada*, 23 juin 1936, p. 2.

Morisset, Gérard, *Coup d'œil sur les arts en Nouvelle-France*, à compte d'auteur, Québec, 1941.

Morisset, 1942

Morisset, Gérard, *François Ranvoyzé*, « Collection Champlain », Québec, 1942, pp. 6-7.

Morisset, octobre 1942

Morisset, Gérard, « Un chef-d'œuvre de François Sasseville », *Technique*, vol. XVII, no 8, octobre 1942, pp. 526-530.

Morisset, 1943a

Morisset, Gérard, *Philippe Liébert*, Collection Champlain, Québec, 1943.

Morisset, 1943b

Morisset, Gérard, *Les Églises et le Trésor de Varennes*, Québec, 1943.

Morisset, 1943c

Morisset, Gérard, *Évolution d'une pièce d'argenterie*, « Collection Champlain », Québec, 1943.

Morisset, 1945

Morisset, Gérard, *Paul Lambert dit Saint-Paul*, « Collection Champlain », Médium, Québec-Montréal, 1945.

Morisset, 1 janvier 1950

Morisset, Gérard, « L'orfèvre Paul Lambert dit Saint-Paul », *La Patrie*, 1er janvier 1950, pp. 14 et 38.

Morisset, 8 janvier 1950

Morisset, Gérard, « Une dynastie d'artisans: Les Levasseurs », *La Patrie*, 8 janvier 1950.

Morisset, février 1950

Morisset, Gérard, « Un cordonnier-orfèvre: Michel Cotton », *La Patrie*, 26 février 1950, pp. 18 et 26.

Morisset, mars 1950

Morisset, Gérard, « Les vases d'or de L'Islet », *La Patrie*, 12 mars 1950, pp. 18 et 42.

Morisset, novembre 1950

Morisset, Gérard, « Jacques Pagé dit Quercy », *Technique*, f. XXV, no 9, novembre 1950, pp. 589-600.

Morisset, juillet 1952

Morisset, Gérard, « Le sculpteur Louis Xavier Leprohon », *La Patrie*, 13 juillet 1952, pp. 20-21.

Morisset, novembre 1952

Morisset, Gérard, « Pierre Noel Levasseur (1690-1770) », *La Patrie*, 9 novembre 1952.

Morisset, Gérard, *Les églises et le trésor de Lotbinière*, « Collection Champlain », Québec, 1953.

Morisset, Jean Paul, *Sculpture ancienne de Québec*, Galerie Nationale du Canada, 1959.

Musée du Québec, *Héritage vivant de l'orfèvrerie, vingt pièces de la collection du Musée du Québec*, Ministère des Affaires culturelles, 1977.

Noppen, Luc, « Raphaël Giroux architecte et sculpteur de l'école de Thomas Baillairgé », *Revue d'ethnologie du Québec*, no 2, 1975, Leméac, pp. 101-127.

Noppen, printemps 1977

Noppen, Luc, « Évolution de l'architecture religieuse en Nouvelle-France: le rôle des modèles architecturaux », *Annales d'histoire de l'art canadien*, vol. IV, no 1, printemps 1977, pp. 45-60.

Noppen, 1977

Noppen, Luc, *Les églises du Québec (1600-1850)*, Éditeur Officiel du Québec, Fides, 1977.

Noppen, Luc, « L'architecture intérieure de Saint-Joachim de Montmorency: L'avènement d'un style », *RACAR*, vol. VI, no 1, 1979, pp. 3-16.

Palardy, Jean, *Les meubles anciens au Canada français*, Amg., 1963, p. 341.

Porter, John R., Désy, Léopold, *L'Annonciation dans la sculpture au Québec*, P.U.L., 1979.

Porter, John R., en coll., *Joseph Légaré 1795-1855*, Galerie nationale du Canada, 1978.

François Ranvoyzé orfèvre, 1739-1819, Catalogue d'exposition, Musée du Québec, été 1968.

Richardson, A.J.H., « Buildings in the Old City of Quebec », *ATP Bulletin*, vol. II, nos 3-4 1972, pp. 88-89.

Rosenberg, Pierre, « Six tableaux de Plamondon, d'après Stella, Cigoli, Mignard et Jouvenet », M[s], vol. 2, no 4, mars 1971, pp. 10-13.

Roy, Pierre-G., *Les vieilles églises de la province de Québec 1647-1800*. Commission des Monuments Historiques de la Province de Québec, Québec, 1925, pp. 219-226.

Roy, Pierre-Georges, *Old manors, old houses*, The historic Monuments commission of the Province of Québec, Québec, 1927.

Roy, Pierre-Georges, « L'honorable George Allsopp », *B.R.H.*, vol. XLV, no 1, janvier 1939, p. 157.

Roy, Pierre-Georges, « Le premier baron de Portneuf », *Les cahiers des dix*, no 14, 1949, pp. 223 à 241.

Schnapper, Antoine, *Jean Jouvenet 1644-1717 et la peinture d'histoire à Paris*, Léonce Laget, Paris, 1974.

Speltz, Alexander: *The Styles of Ornament*, Dover, New-York, 1959.

Sulte, Benjamin, « Premiers seigneurs du Canada 1634-1664 », *M.S.R.C.*, 1883, pp. 131 à 137.

Tanguay, Cyprien, *Dictionnaire généalogique des familles canadiennes*, Montréal, 1890, vol. VI et vol. VII [Motard, Robineau].

Thibault, Claude, en coll., *L'Art du Québec au lendemain de la Conquête (1760-1790)*, Ministère des Affaires culturelles, Musée du Québec, 1977.

Thwaites, Reuben Gold, *The Jesuit Relations and Allied Documents*, Cleveland, The Burrows Brothers Company, 1897, vol. VIII, 1634-1636, p. 220.

Traquair, Ramsay, *The Old Silver of Quebec*, Macmillan, Toronto, 1940.

Trudel, été 1967

Trudel, Jean, *Sculpture traditionnelle du Québec*, Ministère des Affaires culturelles, Musée du Québec, été 1967.

Trudel, hiver 1967

Trudel, Jean, « Six enfants Jésus au globe », *Vie des Arts*, no 49, hiver 1967-68, pp. 28-31, et 62-63.

Trudel, 1969

Trudel, Jean, *Profil de la sculpture québécoise XVIII*e-XIXe siècle. Ministère des Affaires culturelles, Musée du Québec, 1969.

Trudel, été 1969

Trudel, Jean, « Un aspect de la sculpture du Québec, le mimétisme », *Vie des arts*, été 1969, no 55.

Trudel, Jean, *L'orfèvrerie en Nouvelle-France*, Galerie nationale du Canada, Ottawa, 1977.

Trudel, Jean, « Étude sur une statue en argent de Salomon Marion », *Bulletin 21/1973*, Galerie nationale du Canada, Ottawa, 1975.

Trudel, D.B.C. IX

Trudel, Jean, « Sasseville, François » *D.B.C. IX*, pp. 774-775.

Vaillancourt, Émile, *Une maîtrise d'art en Canada 1800-1823*, Montréal, G. Ducharme, 1920.

Vancouver. *Les arts au Canada français*, Vancouver Art Gallery, 1959.

Vecchi, Pierluigi De, *L'opera completa di Raffaello*, Rizzoli, Milan, 1966.

s.a., « Notes sur les premiers temps de la colonisation à Bécancour », *B.R.H.*, vol. VIII, 1902, p. 42.

Illustrations

1. *Gérard Morisset*
   photo: gracieuseté de Madame Gérard Morisset.

2. *Gérard Morisset devant l'église de Cap-Santé,*
photographie, vers 1922
photo: gracieuseté de Madame Gérard Morisset.

3. *Gérard Morisset*
dessin plume et encre noire,
pour l'en-tête de l'article de Mgr le chanoine David Gosselin,
« Cap-Santé », *Almanach de l'action sociale catholique.*
7e année, 1923, p. 50.
Collection Famille Gérard Morisset
photo: MBAM.

4. James Hunter, actif 1777-1792
   A View of Cape Sante in the River St. Lawrence
   1778
   aquarelle, plume et encre
   27,8 X 44,8 cm
   Archives Publiques du Canada
   photo: APC.

5. George Heriot, 1766-1844
   View on the Jacques Quartier
   1805
   12,5 X 18 cm
   Archives Publiques du Canada
   photo: APC.

6. George Heriot, 1766-1844
   Cap Sants' Church
   1805
   aquarelle sur crayon
   11,2 X 23,9 cm
   Archives Publiques du Canada
   photo: APC.

7. Sempronius Stretton, 1781-1824
   Les trois sœurs church at Cape Santé
   1806
   aquarelle et crayon
   16 X 20 cm
   Archives Publiques du Canada
   photo: APC.

8. Roswell Corse Lyman, 1850-1892
Cap-Santé
1883
aquarelle
25,5 X 17 cm
Château de Ramezay, Montréal
photo: MBAM.

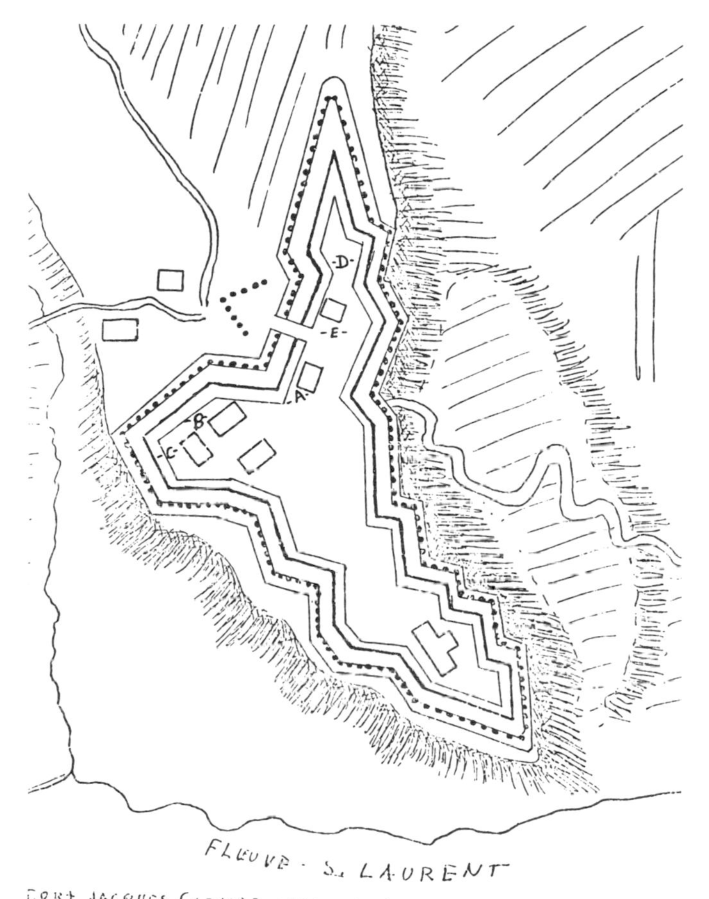

9. *Plan du fort Jacques Cartier en 1761*
reconstitution de Michel Gaumond (1977) montrant les zones fouillées en 1962: A, B et les zones altérées: C, D et E
photo: MBAM.

10. Bateau-vapeur *l'Etoile*
reliait Québec et les villages côtiers au début du siècle
photo: Société historique de Cap-Santé.

11. *Gare de Cap-Santé*
Insc. au verso, de la main de Madame Gérard Morisset: « la petite gare de Cap-Santé, où le vieil Alvarez Bernard était chef de gare. Mon premier voyage par train en 1922 — (pour le Cap) La petite gare a vieilli, mais Alvarez pas! Je l'ai toujours connu vieux »
photo: gracieuseté de Madame Gérard Morisset.

12. *Vue du village de Cap-Santé*
début XXe siècle
photo: gracieuseté de Madame Gérard Morisset.

13. J. Elzébert Garneau, 1891-1965
Rue du village de Cap-Santé en automne
1913
huile sur panneau
24,7 X 33,5 cm
Collection privée
photo: MBAM.

14. Gérard Morisset, 1898-1970
Maison Hardy, Cap-Santé, 1934
plume et encre noire
28,5 X 36,5 cm
Collection Famille Gérard Morisset, photo: MBAM.

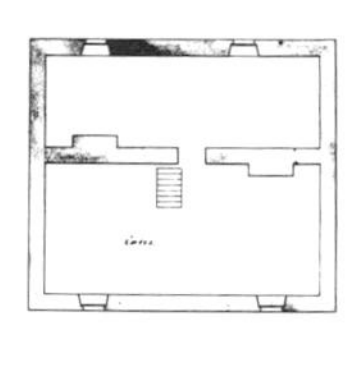

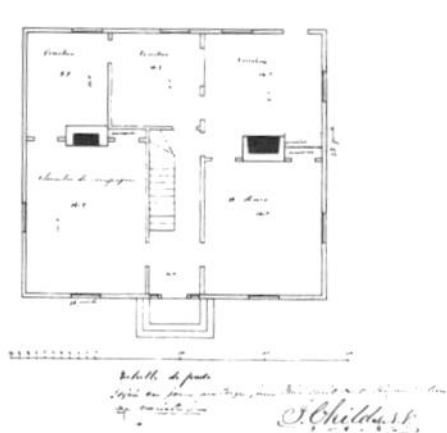

15. Attribué à Moïse Marcotte
Façade et plan intérieur de la maison François-Xavier Garneau (forgeron), 1852
mine de plomb, plume et encre noire
37,5 X 33,7 cm; 46,8 X 30,7 cm
Collection Henriette et Maurice Grenier, photo: MBAM.

16. *Vue du village de Cap-Santé en hiver (vers l'est)*
photographie n.d.
photo: Société historique de Cap-Santé.

17. *Vue du village de Cap-Santé en hiver (vers l'ouest)*
photographie n.d.
photo: Société historique de Cap-Santé.

18. J. Elzébert Garneau, 1891-1965
Église et village de Cap-Santé en hiver
huile sur carton
15,1 X 22 cm
Collection privée
photo: MBAM.

19. *Église de Cap-Santé, façade*
photographie
Archives Publiques du Canada
photo: APC.

20. *Église de Cap-Santé*
Détail du recouvrement de la façade
photo: François Lachapelle.

21. *Église de Cap-Santé*
Le revers du pignon de la façade, au niveau des combles
photo: François Lachapelle.

22. *Église de Cap-Santé*
Vue d'ensemble de la charpente de l'église
photo: François Lachapelle.

23. *Église de Cap-Santé*
La charpente et le système d'accrochage de la fausse-voûte
photo: François Lachapelle.

24. *Église de Cap-Santé*
Vue d'ensemble de la charpente originale au-dessus des entraits retroussés
photo: François Lachapelle.

25. *Église de Cap-Santé*
Le sommet des fermes reliées entre elles par un sous-faîtage et des aisseliers
photo: François Lachapelle.

26. *Église de Beaumont*
Construite de 1727 à 1736 et allongée par la façade en 1922-1923
photo: Éditeur officiel du Québec.

27. *Église de Cap-Santé*
Vue intérieure de l'église avant l'installation des vitraux
n.d.
photo: ANQ.

28. *Église de Cap-Santé*
Vue intérieure de l'église
Le tombeau de l'autel est polychrome et les vitraux sont en place
n.d.
photo: ANQ.

29. *Église de Cap-Santé*
Vue intérieure de l'église prise du jubé en 1980
photo: MBAM.

30. *Église de Cap-Santé*
Vue du chœur
photo: MBAM.

31. *Église de Saint-Augustin, comté de Portneuf*
Vue du retable installé en 1822
photo: IBC.

32. *Église de Cap-Santé*
Vue d'ensemble du retable
photo: MBAM.

33. *Église de Cap-Santé*
Le maître-autel, tombeau de Louis-Amable Quévillon entre 1803 et 1809,
retable de Louis-Xavier Leprohon, 1843-1844
photo: MBAM.

34. *Église de Cap-Santé*
Vue intérieure, le banc d'œuvre et le côté latéral droit
photo: MBAM.

35. *Église de Cap-Santé*
Le banc d'œuvre (détail) exécuté en 1860 par Raphaël Giroux
photo: MBAM.

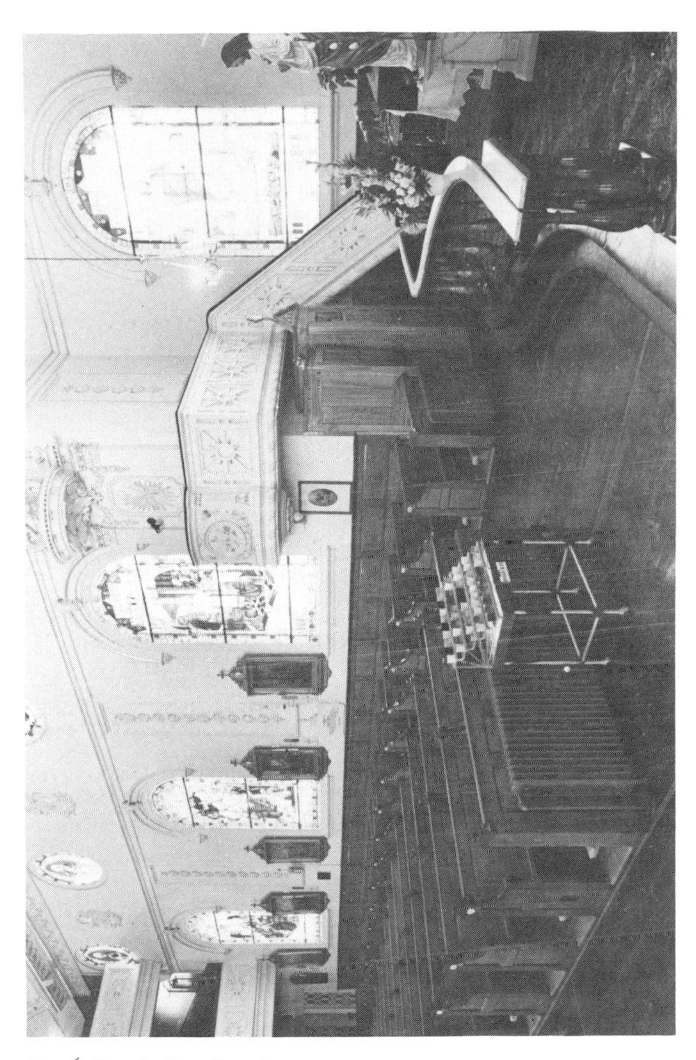

36. *Église de Cap-Santé*
Vue intérieure, la chaire et le côté latéral gauche
photo: MBAM.

37. *Église de Cap-Santé*
La chaire exécutée à partir de 1859 par Raphaël Giroux
photo: MBAM.

38. Anonyme
Portrait de Raphaël Giroux (1815-1869)
vers 1845
aquarelle
photo: Luc Noppen.

39. *Église de Cap-Santé*
Buffet d'orgue par Napoléon Déry installé en 1880
photo: MBAM.

40. *Coq de clocher*
tôle galvanisée
30 X 43 cm
Musée du Québec
photo: MQ.

41. *Vierge*
Sculpture, bois doré ornant la niche gauche de la façade de l'église de Cap-Santé.
H. totale: 180 cm
photo: Laurier Lacroix.

42. *Enfant-Jésus*
Sculpture, bois doré ornant la niche centrale de la façade de l'église de Cap-Santé
H. totale: 170 cm
photo: Laurier Lacroix.

42a. *Saint Joseph*
Sculpture, bois doré ornant la niche droite de la façade de l'église de Cap-Santé
H. totale: 180 cm
photo: Laurier Lacroix.

43. Anonyme
Vierge à l'enfant Jésus
n.d. XVIIIe siècle
bois doré
H: 50,5 cm
Fabrique de Cap-Santé
photo: MBAM.

44. Anonyme
Vierge à l'enfant Jésus
n.d. XVIIIe siècle
bois doré, traces de polychromie
H: 79,1 cm
Musée du Québec
photo: MQ (Patrick Altman).

45. Anonyme
Vierge à l'enfant Jésus avec spectre
bois doré
H: 12,5 cm
Musée du Québec
photo: MQ (Patrick Altman).

46. Jean Valin, 1691-1759
Chandelier pascal
1738
bois peint
H: 174 cm
Fabrique de Cap-Santé
photo: MBAM.

47. Jean Valin, 1691-1759
Chandeliers d'autel (paire)
1738
bois
H: 70 cm
Fabrique de Cap-Santé
photo: MBAM.

48. Jean Valin, 1691-1759
Chandelier d'autel (base)
1738
bois
H: 22 cm
Fabrique de Cap-Santé
photo: MBAM.

49. Anonyme
Vierge avec l'enfant-Jésus
bois polychrome
Fabrique de Cap-Santé
photo: Martin L'Abbé.

50. Louis Jobin, 1845-1928
Éducation de la Vierge
1877
bois polychrome
H: 81 cm
Fabrique de Cap-Santé
photo: MBAM.

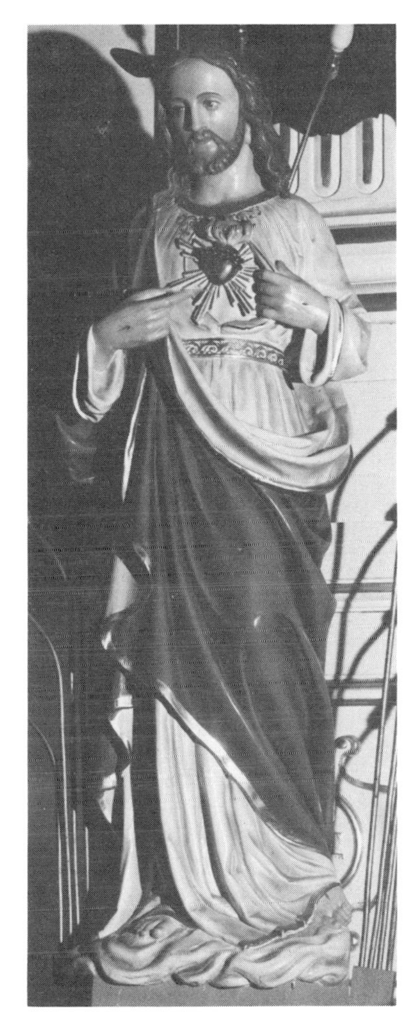

51. Louis Jobin, 1845-1928
Sacré-Cœur
bois polychrome
Fabrique de Cap-Santé
photo: MBAM.

52. *Église de Cap-Santé*
Tabernacle, autel latéral gauche (sainte Anne) et détail des draperies en bois polychrome et doré
photo: MBAM.

53. David Ouellet et Moïse Marcotte
Chapelle latérale arrière dédiée à saint Joseph
1877
photo: MBAM.

54. Anonyme, XXᵉ s.
Calvaire du Petit Bois de l'Ail
aujourd'hui disparu
bois polychrome
photo: IBC.

55. *Ex-voto de Marie-Anne Robinau*
1675
huile sur toile
129,5 X 94 cm
Musée historial, Basilique Sainte-Anne de Beaupré
photo: MBAM.

56. Anonyme, XVIIIe s.
La Sainte Famille avec Anne et Joachim et la Trinité
huile sur toile
133,6 X 100,5 cm
Fabrique de Cap-Santé
photo: MBAM.

57. Anonyme, XVIIIe s.
La France apportant la foi aux Indiens de la Nouvelle-France
huile sur toile
Monastère des Ursulines de Québec
photo: GNC.

58. détail du no 57.

59. Albertus Clouwet (Zantzack), 1636-1679
La Sainte Famille avec Anne et Joachim, la Trinité, saint Ignace de Loyola et saint François Xavier
pointe sèche
Bibliothèque Nationale, Cabinet des Estampes, Paris
photo: BN, Paris.

60. Anonyme, XVIIIe s.
Vierge à l'Enfant-Jésus
huile sur toile
40,3 X 30,6 cm
Fabrique de Cap-Santé
photo: MBAM.

61. Joseph Légaré, 1795-1855
Présentation de Marie au Temple
1825
huile sur toile
Fabrique de Cap-Santé
photo: MBAM.

62. Antoine Plamondon, 1804-1895
Miracles de sainte Anne
1826
huile sur toile
Fabrique de Cap-Santé
photo: MBAM.

63. Antoine Plamondon, 1804-1895
Vierge au diadème, d'après Raphaël
1866
huile sur toile
Fabrique de Cap-Santé
photo: MBAM.

64. Antoine Plamondon, 1804-1895
Mort de saint Joseph
huile sur toile
Fabrique de Cap-Santé
photo: MBAM.

65. Antoine Plamondon, 1804-1895
Descente de croix, d'après Jean Jouvenet
huile sur toile
Fabrique de Cap-Santé
photo: MBAM.

66. Antoine Plamondon, 1804-1895
Vierge à la chaise, d'après Raphaël
huile sur toile
Fabrique de Cap-Santé
photo: MBAM.

67. Hobbs & Company, Montréal
Éducation de la Vierge
vitrail
Fabrique de Cap-Santé
photo: MBAM.

68. Anonyme
Portrait d'un jeune homme de la famille Alsopp
vers 1820
huile sur toile
Musée des beaux-arts de Montréal
photo: MBAM.

69. *Chevalier Antoine-Sébastien Falardeau*, 1822-1889
photographie, 1862
photo: Société historique de Cap-Santé.

70. Antoine Sébastien Falardeau, 1822-1889
Vierge
huile sur carton
21,9 X 17 cm
Collection Madame Madeleine Leduc-Brault
photo: MBAM.

71. *J. Elzébert Garneau*, 1891-1965
photographie n.d.
photo: Société historique de Cap-Santé.

72. Elzébert Garneau, 1891-1965
Arbre dans le vent au bord de la grève, Cap-Santé
1910 (?)
29,6 X 38,1 cm
Collection privée
photo: MBAM.

73. Elzébert Garneau, 1891-1965
Paysage de Cap-Santé avec vue de la Pointe-du-Platon
1926
mine de plomb 12,7 X 17,9 cm Collection privée photo: MBAM.

74. Elzébert Garneau, 1891-1965
Maisons de l'anse de Cap-Santé
n.d.
huile sur toile 15,2 X 21,9 cm Collection privée photo: MBAM.

75. Elzébert Garneau, 1891-1965
Rivière Jacques Cartier et moulin du fief Bélair
n.d.
huile sur toile 14,7 X 21,5 cm Collection privée photo: MBAM.

76. Elzébert Garneau, 1891-1965
Intérieur de la maison Germain
n.d.
huile sur carton 15,6 X 22,1 cm Collection privée photo: MBAM.

77. Elzébert Garneau, 1891-1965
Intérieur de la forge Félix Garneau
1919
fusain 45,2 X 60,5 cm Collection privée photo: MBAM.

78. Elzébert Garneau, 1891-1965
Le Bon Dieu
fusain 45,8 X 60,8 cm Collection privée photo: MBAM.

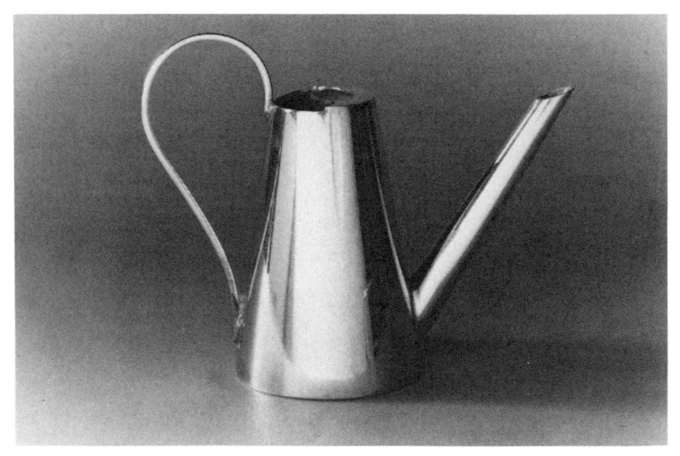

79. Laurent Amiot, 1764-1839
Aiguière baptismale
1804
Dimensions: H: 7 cm
Poinçoin: L, un point, A, dans un rectangle (1).
Fabrique de Cap-Santé
photo: MBAM.

80. Robert Cruickshank, actif 1767-1809
Aiguière baptismale, vers 1773-1809
Dimensions: H: 10,1 cm; D: base 6,5 cm
Poinçon: R, un point, C, dans un cartouche; MONTRÉAL (1).
Hôpital-Général de Québec.
Photo: Robert Derome.

81. Pierre Huguet dit Latour, 1749-1817
Aiguière baptismale, vers 1790-1817
Dimensions: H: 1 po 7/16; L: 3 po 7/8; l: 2 po 1/4.
Poinçon: P, un point, H. (1)
Musée d'art de Saint-Laurent.
Photo: Robert Derome

82. Paul Morand, 1775-1856
Aiguière baptismale, vers 1817-1854
Dimensions: H: 4 po
Poinçons: P, un point, M, dans un rectangle (2)
Collection d'orfèvrerie Henry Birks.
Photo: Robert Derome.

83. Pierre Huguet dit Latour, 1749-1817
Aiguière baptismale, vers 1790-1817
Dimensions: H: 2 po 1/4
Poinçon: P, un point, H, dans un rectangle (4).
Caughnawaga, Musée de l'église.
Photo: Robert Derome.

84. Laurent Amiot, 1764-1839
Bénitier, 1794
Dimensions: H: 28,8 cm
Poinçon: L, un point, A, dans un rectangle (2)
Fabrique de Cap-Santé
photo: MBAM.

85. Salomon Marion, 1782-1830
Bénitier, vers 1817-1830
Dimensions: H: 20,5 cm
Poinçon: S, un point, M; une tête dans un ovale; un lion passant, dans un ovale. (2)
Collection d'orfèvrerie Henry Birks.
Photo: Robert Derome.

86. Laurent Amiot, 1764-1839
Boîtier et ampoules aux saintes huiles, 1828
Dimensions: Boîtier H: 6,2 cm; L: 7,8 cm; l: 3,9 cm
Ampoules H: 6,5 cm; D: 3 cm
Poinçon: L, un point, A, dans un ovale; boîtier (2); ampoules (2); support (2)
Fabrique de Cap-Santé
photo: MBAM.

87. Pierre Lespérance, 1819-1882
Burettes (2), 1873 ou 1876
Dimensions: H: 12,5 cm; D: base 5 cm
Poinçon: P, un point, L, dans un ovale (1); tête, dans un ovale (1).
Fabrique de Cap-Santé
photo: MBAM.

88. Pierre Lespérance, 1819-1882
Burettes (2), 1873 ou 1876
Dimensions: H: 12,6 cm; D: base 5 cm
Poinçon: P, un point, L, dans un ovale (1), tête, dans un ovale (1).
Fabrique de Cap-Santé
photo: MBAM.

89. Laurent Amiot, 1764-1839
Plat à burettes, 1822
Dimensions: H: 3,8 cm; L: 19,6 cm; l: 13,4 cm
Poinçoin: L, un point, A, dans un ovale (2)
Fabrique de Cap-Santé
photo: MBAM.

90. Martin et Dejean
Paris, 1838-1846
Plat à burettes
Dimensions: H: 2,1 cm; L: 23,9 cm; l: 14 cm
Poinçon: Maître: MD, ancre, deux étoiles, dans un losange; 1er titre après le 10 mai 1838; Garantie: non identifié (une fourmi et un cocon? peut-être utilisé pour les objets d'exportation?)
Fabrique de Cap-Santé
Photo: Robert Derome.

91. Laurent Amiot, 1764-1839
Calice, 1801
Dimensions: H: 27,5 cm; D: coupe 8,5 cm, base 15 cm
Poinçon: L, un point, A, dans un rectangle (2).
Fabrique de Cap-Santé
photo: MBAM.

92. Laurent Amiot, 1764-1839
Ciboire, 1801
Dimensions: H: 26,2 cm; D: base 12,9 cm; coupe: 13,1 cm
Poinçon: LA, dans un rectangle (1).
Fabrique de Cap-Santé
photo: MBAM.

93. François Sasseville, 1797-1864
Ciboire, 1845
Dimensions: H: 29 cm; D: base 14 cm, coupe: 12,6 cm
Poinçon: F, un point, S, dans un ovale (2).
Fabrique de Cap-Santé
photo: MBAM.

94. Robert Hendery ou Hendery & Leslie,
Ciboire, fin XIXe siècle
Dimensions: H: 30,6 cm; D: base 15 cm, coupe: 15 cm
Poinçon: lion rampant, dans un ovale (5); tête dans un octogone (3).
Fabrique de Cap-Santé
photo: MBAM.

95. Laurent Amiot, 1764-1839
Ciboires (5), vers 1787-1839
Dimensions: 1. H: 22,8 cm
2. H: 24,6 cm
3. H: 28,5 cm
4. H: 22,8 cm
5. H: 21,3 cm
Poinçon: 1. L, un point, A, dans un rectangle (2)
2. L, un point, A, dans un ovale (2)
3. L, un point, A, dans un ovale (1)
4. L, un point, A, dans un rectangle (2)
5. L, un point, A, dans un ovale (1)
Collection d'orfèvrerie Henry Birks.
Photo: Robert Derome.

96. Laurent Amiot, 1764-1839
    Encensoir, 1822
    Dimensions: H: 26,2 cm; D: base 9 cm
    Poinçon: L, un point, A, dans un ovale (2)
    Remarque: la rondelle qui retient les chaînes semble avoir été
    refaite.
    Fabrique de Cap-Santé
    photo: MBAM.

97. Pierre Huguet, 1749-1817
Encensoirs (3), vers 1790-1817
Dimensions: 1. H: 23,5 cm
2. H: 26 cm
3. H: 25 cm
Poinçon: 1. P, un point, H, MONTRÉAL (1)
2. P, un point, H, MONTRÉAL (1)
3. P, un point, H, MONTRÉAL (1)
Collection d'orfèvrerie Henry Birks.
Photo: Robert Derome

98. Paul Morand, 1775-1856
Encensoir, vers 1817-1854
Dimensions: H: 27 cm
Poinçon: P, un point, M; dans un rectangle;
une tête dans un ovale; un lion passant, dans un rectangle (2)
Collection d'orfèvrerie Henry Birks.
Photo: Robert Derome.

99. Laurent Amiot, 1764-1839
Navette, 1822
Dimensions: H: 8,2 cm; L: 13,9 cm; l: 8 cm
Poinçon: aucun
Remarque: elle porte des marques de réparation à l'intérieur où le pied se joint au corps.
Fabrique de Cap-Santé
photo: MBAM.

100. Anonyme
Instrument de paix, XIXe siècle
Cuivre argenté
Dimensions: H: 12,2 cm; L: 9 cm
Fabrique de Cap-Santé
photo: MBAM.

101. Laurent Amiot, 1764-1839
Lampe de sanctuaire, 1795
Dimensions: H: 37,5 cm; D: ouverture 27,8 cm;
pause 122 cm.
Fabrique de Cap-Santé
photo: MBAM.

102. François Sasseville, 1797-1864
Calice, 1845
Dimensions: H: 30,2 cm; D: base 15,5 cm, coupe 10 cm
Poinçoin: F, un point, S, dans un petit rectangle, flanqué de 2 étoiles (1).
Fabrique de Cap-Santé
photo: MBAM.

103. François Sasseville, 1797-1864
Calice, 1852
Lotbinière.
Photo: IBC.

104. Laurent Amiot, 1764-1839
Calice, début XIXe sicle
Dimensions: H: 32 cm
Poinçon: L, un point, A, dans un ovale (2)
Collection d'orfèvrerie Henry Birks.
Photo: Robert Derome.

105. François Sasseville, 1797-1864
Calice, vers 1852
Dimensions: H: 28,5 cm
Provenance: Fabrique de L'Ange-Gardien,
Galerie nationale du Canada.
Photo: GNC.

106. Pierre Lespérance, 1819-1882
Calice, XIXe siècle
Dimensions: H: 29,5 cm
Poinçon: P, un point, L, dans un ovale (2);
une tête, dans un ovale (1)
Collection d'orfèvrerie Henry Birks.
Photo: Robert Derome.

107. Ambroise Lafrance, 1847-1905
Calice, XIXe siècle
Dimensions: H: 31,0 cm
Galerie nationale du Canada.
Photo: Robert Derome.

108. Pierre Lespérance, 1819-1882
Calice
jadis Saint-Anaclet, Rimouski.
Photo: IBC.

109. Ambroise Lafrance, 1847-1905
Calice, XIXe siècle
Dimensions: 30,7 cm
Poinçon: L, un point, A, dans un ovale; tête, dans un ovale; QUÉBEC. (1)
Collection d'orfèvrerie Henry Birks.
Photo: Robert Derome.

110. Pierre Lespérance, 1819-1882
Calice
Saint-Pierre, Île d'Orléans.
Photo: IBC.

111. Ambroise Lafrance, 1847-1905
Calice, 1888
Sillery (St-Colomban), Québec.
Photo: IBC.

112. Ambroise Lafrance, 1847-1905
Calice
Saint-Agnès, Charlevoix.
Photo: IBC.

113. PPR, Paris (France).
Calice, après 1838
Dimensions: H: 12 po
Poinçon: Maître: PPR, ancre, croix, dans un rectangle; 1er titre, après 1838.
Congrégation Notre-Dame, Maison Saint-Gabriel, Montréal.
Photo: Robert Derome.

114. Anonyme, Paris (France)
Calice, après 1838
Dimensions: H: 10 po $^{3}/_{4}$
Poinçon: Maître: FK (?), symboles; 2e titre, après 1838.
Caughnawaga, Musée de l'église.
Photo: Robert Derome.

115. Ambroise Lafrance, 1847-1905
Calice, détail, dessous du pied Cf. fig. 107.

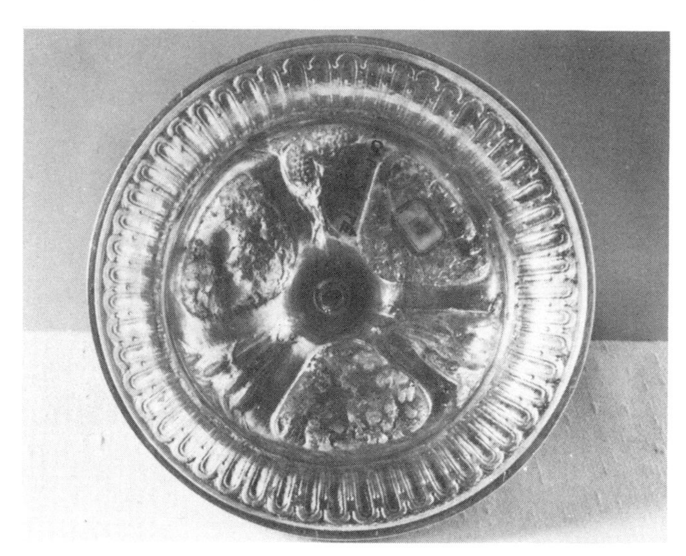

116. François Sasseville, 1797-1864
Calice 1845, détail, dessous du pied. Cf. fig. 102.

117. Anonyme Paris, France
Calice après 1838
Jésus, détail.
Dimensions: H: 27,7 cm
Poinçon: 1er titre après 1838; maître et garantie illisibles.
Résidence des pères Jésuites, Québec.
Photo: Robert Derome.

118. *Vierge*, détail cf. fig. 117.

119. ***Saint Joseph***, détail cf. fig. 117.

120. Moules ovales
    1. Ecce Homo
    2. Marie-Madeleine
    3. Saint Antoine de Padoue
    4. Crucifixion
    5. Saint Joseph
    6. Saint Pierre

    Laiton
    Dimensions: L: 3,9 cm; l: 3,2 cm
    Collection d'orfèvrerie Henry Birks.
    Photo: Robert Derome.

121. Anonyme (Paris, France)
Ciboire
détail du médaillon de la *Crucifixion*
Résidence des Pères Jésuites, Québec
Photo: Robert Derome.

122. François Sasseville, 1797-1864
Calice
détail du médaillon de la *Vierge*, cf. ill. 103
Lotbinière.
Photo: IBC.

123. *La Foi* (détail de 102).

124. *L'Espérance* (détail de 102).

125. *La Charité* (détail de 102).

126. *La Foi* (détail de 107).

127. *L'Espérance* (détail de 107).

128. *La Charité* (détail de 107).

129. Moule triangulaire
Crucifixion
Laiton
Dimensions: 6 cm x 6 cm
Signé en bas à droite: « RISSIN [G] »
Collection d'orfèvrerie Henry Birks.
Photo: Robert Derome.

130. *Crucifixion* (détail de 102).

131. *Crucifixion* (détail de 107).
Signé en bas à droite « RISSIN [G] »
Cf. fig. 129 et 130.

132. *Adoration des bergers* (détail de 102).

133. *L'Adoration des bergers*, (détail de 107).
Cf. fig. 131.

134. Moules triangulaires,
1. *La fuite en Egypte*
2. *La mise au tombeau*
Laiton
Dimensions: 6 cm X 6 cm
Collections d'orfèvrerie Henry Birks.
Photo: Robert Derome.

135. *La Mise au tombeau* (détail de 107).
Cf. fig. 134.

136. *Lavement des pieds* (détail de 102).

137. Moule circulaire
Descente de la croix
Laiton
Dimensions: D: 7,5 cm
Collection d'orfèvrerie Henry Birks.
Photo: Robert Derome.

138. Moule circulaire
Christ en croix et deux anges adorateurs
Cuivre
Dimensions: 7,5 cm
Collection d'orfèvrerie Henry Birks.
Photo: Robert Derome.

139. Guillaume Loir, (Paris, maître en 1716)
Ostensoir Paris, 1731-1732
Dimensions: H: 68 cm
Poinçon: Maître: GL, fleur de lis couronnée, 2 grains, un croissant; Charge: 1727-1732;
Maison Commune: 1731-1732.
Séminaire de Québec.
Photo: Robert Derome.

140. François Sasseville, 1797-1864
Bénitier, vers 1839-1864
Dimensions: H: 26 cm
Poinçon: F, un point, S, dans un rectangle (4).
Collection d'orfèvrerie Henry Birks.
Photo: Robert Derome.

141. François Sasseville, 1797-1864
Calice, vers 1839-1864
Dimensions: H: 27,5 cm
Poinçoin: F, un point, S, dans un ovale (2)
Collection d'orfèvrerie Henry Birks.
Photo: Robert Derome.